M

Marie Lincourt est journaliste et écrivain. Mère de huit enfants, elle a déjà publié plusieurs romans parmi lesquels on peut citer *Kanake* (Mercure de France, 1985), *Je n'appartiens qu'aux autres* (Artulen, 1988) et *Faustine* (Blanche, 2002).
La petite fille dans le placard est paru aux Editions Hugo & Cie.

LA PETITE FILLE DANS LE PLACARD

MARIE LINCOURT

LA PETITE FILLE DANS LE PLACARD

HUGO ROMAN

Pocket, une marque d'Univers Poche, est un éditeur qui s'engage pour la préservation de son environnement et qui utilise du papier fabriqué à partir de bois provenant de forêts gérées de manière responsable.

ISBN 978-2-266-18139-6

1

Il fait noir, tout noir. Je grelotte. Mon dos ruisselle. J'ai peur, oh tellement ! J'entends des voix, je colle mon oreille à la porte. Un petit rai de lumière file par l'entrebâillement, mais mon placard à moi est dans l'obscurité presque complète.

Mon nez se fronce. C'est vrai qu'il sent mauvais ce placard, il sent l'antimite. Je l'avais déjà senti, avant, quand maman l'ouvrait pour y prendre ses affaires et que je la suivais. Mais ça, c'était avant. Maintenant, elle a fait faire un « dressing », comme elle dit. Alors ce grand placard, il est vide. C'est pour ça qu'on a pu y mettre mon petit lit.

Je claque des dents et je suis en nage. Des papillons monstrueux aux têtes hilares me font des grimaces. Ça va pas, maman, ça va pas, tu sais, je me sens si mal. Mais je sais bien que maman ne viendra pas.

Elle est chez les Durché en train de faire un bridge, et papa doit l'y retrouver. Ils ne rentreront pas avant très tard ce soir. Je l'ai entendu dire à Tata. Tata non plus ne viendra pas avant de m'apporter mon dîner. Elle m'aime pas, Tata. Je le sais, ça aussi, parce qu'elle n'arrête pas de me le dire : – Si tu crois que ça m'amuse de m'occuper de toi ! J'ai assez à faire avec ton frère. Et puis lui, il est petit à trois ans ! Tandis que toi, t'en as déjà six, alors tu peux bien te débrouiller toute seule maintenant ! Et, lui, au moins, il est beau et intelligent par-dessus le marché !

C'est ma faute, à moi, si je suis toute maigre ? Tata, elle, elle est grosse. Comme un éléphant.

– Vaut mieux faire envie que pitié, qu'elle me dit tous les jours en me tressant les nattes. Et elle tire, aïe, ça fait mal, ne pas pleurer, surtout ne rien dire, elle serait trop contente, elle tirerait encore plus. Moi, je ne trouve pas qu'elle fasse envie. Les garçons non plus d'ailleurs. Elle est toujours toute seule, malgré ses vingt-sept ans. Vieille fille comme dit papa en se moquant d'elle. C'est peut-être ça qui la rend si méchante ? Pas avec Charles mon petit frère en tous cas, non ça, avec lui, elle est très gentille. C'est sûr ! Mais moi, elle me déteste.

Oh, j'ai mal au cœur, j'ai des bourdonnements dans la tête. Et puis ici, je respire plus. Maman, pourquoi tu t'es jamais occupée de moi ? Ça va pas tu sais, et Tata ne viendra pas. Toi non plus, il y a longtemps que j'ai compris.

❁

J'ai six ans à peine, des jambes comme des allumettes et un cœur gros comme ça. C'est mon cœur chez moi qui prend toute la place. Mais ce cœur gigantesque, personne n'en veut. Ni maman, ni Tata, ni mon petit frère qui suce son pouce tranquillement alors qu'on m'a attaché les mains pour que je me « déforme pas le palais ». Ni papa. Sait-il seulement que j'existe ? Si, bien sûr ! Parfois, un baiser dans le cou, un clin d'œil furtif, mais vite, avant que maman s'en aperçoive.

Elle ne m'avait pas voulue maman, enfin pas vraiment. Je le sais parce que je les entends qui parlent. J'entends tout et je sais tout.

Pendant sept ans elle avait refusé de me faire. C'est seulement quand papa avait décidé de la quitter qu'elle était « tombée » enceinte.

Comme ça, sans le faire exprès (mais moi je crois qu'elle l'avait voulu, au contraire), elle avait trébuché sur sa grossesse et s'était raccrochée à papa pour se soutenir.

– Tu ne peux plus me lâcher maintenant que j'attends TON enfant. Et elle avait brandi son certificat de grossesse avec la fierté d'un bachelier. Piégé, Georges avait dû tout accepter. Ses migraines, ses nausées, ses envies.

– Tu ne dois plus rien me refuser. Ça ferait du mal à ton enfant.

Fait. Comme un rat. Mais un rat, c'est malin ; ça trouve toujours un couloir pour s'échapper.

– Très bien. Tu as gagné, je reste ! Mais désormais ma vie privée m'appartient. Je la vivrai comme je voudrai !

Mais qui peut vivre sa vie comme il le veut ? Pas lui en tout cas.

Cet enfant que Rose portait, c'était son enfant à lui, elle le lui rappelait à chaque instant. Et cet enfant déjà, devenait une croix à porter, un lien d'acier qui le retenait prisonnier de celle qu'il voulait fuir.

❀

Une main me secoue.

– Réveille-toi, allez dépêche-toi, réveille-toi je te dis ! Il faut que tu manges. Voilà ta soupe. Vite avant que le médecin revienne.

Une voix sèche qui me vrille les oreilles. Et puis une nouvelle odeur. Un parfum bon marché, grossier.

Mes paupières sont en plomb. Je fais des efforts désespérés pour les ouvrir. Ma gorge me brûle. Le potage est presque froid, heureusement. Il a dû attendre, mais ce sera plus facile à avaler.

Tata est là, dans l'encoignure, sévère comme le croquemitaine dont elle me parle tous les soirs. Cette fois encore, elle n'y manque pas :

– Mange tout, sinon le croquemitaine viendra te chercher pour te croquer dans la forêt. Il aime bien les petites filles toutes maigres. Je me demande pourquoi d'ailleurs, moi je les trouve plutôt moches... et elle éclate de rire, son rire qui secoue son double menton, sa grosse poitrine, son ventre, comme une mer en furie qui s'agite et qui gronde. La mer gronde et j'ai mal au cœur. Ne pas vomir. Surtout ne pas... Trop tard. Un jet acide a jailli de ma gorge tandis que je me noie dans mes larmes.

Une gifle violente écrase ma joue brûlante. Je chancelle et tombe sur le ventre.

– Sale gosse ! Vermine ! Décidément t'as tout pour plaire ! Tu l'as fait exprès hein, pour que je lave ton drap ? T'as d'la chance que le doc vienne t'à l'heure, pacque sinon, tu s'rais restée dans ta mouise !

De l'entendre, ma tête éclate. Instinctivement, je porte mes mains à mes oreilles, mais elle me les arrache.

– T'écoutes quand j'te parle, oui ?!

Et sans attendre la réponse, elle file chercher une bassine et une éponge à la cuisine. Je reste seule avec le croquemitaine, qui s'est assis au bout du lit et qui fait semblant de me regarder par en dessous. J'en ai très peur, mais je ne lui montre pas. Alors je lui tourne le dos et je ferme les yeux.

❁

– Lolo, ça ne va pas ?

Mon vrai nom c'est Laurence, je trouve ça plutôt joli, mais maman m'a toujours appelée Lolo parce que j'aime bien le lait. C'est ridicule. Je ne voulais pas. Mais on ne m'a pas donné le choix. Tout le monde maintenant m'appelle Lolo. Et moi, je déteste.

Je suis toute propre, dans une belle chemise de nuit blanche, allongée sur le lit de papa et maman, sur les draps de soie qui sentent bon la vanille, le parfum que maman se met derrière les oreilles et dans le creux des coudes quand elle sort le soir au bras de papa, perchée sur ses hauts talons noirs, belle et fière comme une reine. Elle est belle, maman !

Un regard tendre, une voix chaleureuse, une main très douce qui se pose sur mon front. C'est le docteur Pons, le docteur de « famille » dit maman, c'est lui qui me suit depuis ma naissance.

– Mais cette enfant est brûlante ! Et il retire sa main comme s'il l'avait posée sur une plaque de cuisinière.

Je m'attends à le voir souffler sur ses doigts. Mais lui, il sort une lampe et un tire-langue.

La rougeole ! Depuis trois jours, j'ai la rougeole ! Le mot contagion a vibré dans toute la maison. Charles risque de l'attraper ; mais il sort d'une grosse grippe, il vaut mieux éviter.

– Il faut l'isoler de son frère ! a déclaré maman. Je n'ai pas de chambre où la mettre, mais le grand placard vide du couloir fera très bien l'affaire quelque temps. C'est comme un boudoir !

Elle a pas de chambre pour moi, maman, mais elle a deux salons. À quoi ça sert ? Et papa a aussi un bureau. Elle a toujours eu le goût du luxe et des métaphores, maman.

Et elle continue :

– On n'aura qu'à laisser la porte entrebâillée. Comme ça elle ne manquera ni d'air, ni de lumière !

Et depuis trois jours je gis dans mon réduit. Mais pour le docteur j'ai eu le droit de sortir. On m'a portée (mes jambes flageolent, j'ai encore maigri) sur le grand lit de soie de papamaman.

Le docteur Pons me papouille, m'ausculte soigneusement, partout, pose son oreille sur ma poitrine et me prend le pouls.

– Elle a besoin de calme, beaucoup de calme et de repos aussi. Et puis faites-la boire. Très souvent, sinon elle va se déshydrater, il faut faire tomber la fièvre. De l'aspirine et des bains tièdes... Le reste se perd dans le tumulte de ma tête. C'est un vrai chaos là-dedans. J'ai peur qu'elle explose ; et de nouveau les larmes.

– Pleure pas petite, me dit le docteur apitoyé. Dans deux jours ça ira mieux. Promis. De toute façon je repasse ce soir.

Il m'embrasse sur le front. Ses lèvres sont douces et fraîches. C'est bon. J'aimerais avoir les lèvres de maman, et aussi de papa. Mais lui, il n'ose pas, je le sais.

2

Il fait froid dans l'église. Et sombre. Et humide. Mes souvenirs remontent comme les boues d'une eau sale qu'on agiterait. Je grelotte sous mon manteau et pourtant j'ai les joues en feu. Je connais ce symptôme. Ne pas pleurer. Enfin, essayer, parce que j'ai toujours eu du mal à retenir mes larmes. Une vraie pleureuse, que je suis.

Grannie, je l'aimais. Elle est partie tout doucement, sans faire de bruit, aussi discrètement qu'une flamme qui vacille et s'éteint sous l'effet d'un courant d'air.

À la mort de Papy elle l'avait attendu ce courant d'air. Mais elle est restée flamme brillante pour moi tant qu'elle a pu. Jusqu'à lundi dernier où son souffle s'est arrêté. Oh Grannie, que tu vas me manquer !

L'église est pleine de monde. Ils ont tous voulu venir lui faire leurs adieux, à moins que ce ne soit par devoir, ça se fait, de venir présenter ses condoléances et puis c'est une sortie, une occasion pour remettre le tailleur noir et les décorations !

L'église bourdonne comme une ruche. On chuchote trop fort dans mon dos, les chaises qu'on bouscule gémissent trop souvent. Ils ne sont pas très attentifs. Sauf une personne. Deux yeux que je sens derrière moi, qui me transpercent sans que je les voie. Des yeux noirs et lourds de haine. Je les sens, comme une « chose vivante » et malgré moi je me recroqueville. Comme lorsque j'étais petite. Jamais je n'arriverai à lutter contre eux. Ils m'ont vaincue depuis trop longtemps déjà. J'ai définitivement baissé les armes.

Des soupirs, des nez qui reniflent et qui se mouchent. Ma peine est partagée, du moins en surface, mais je suis seule au monde désormais. Mes joues se mouillent, mes lèvres tremblent. Oh, comme j'aurais aimé l'accompagner et partir moi aussi !

❀

Soudain on me soulève, on me pousse et je me retrouve sans le savoir, avançant à petits pas heurtés, comme une automate.

L'odeur de l'encens m'imprègne. Je ferme les yeux pour mieux respirer et sous mes paupières closes, un visage fané, plein de bonté me sourit. Curieusement ce sourire me fait monter des larmes. Pourquoi un sourire fait-il pleurer ?

De nouveau, des mains dans mon dos. J'entends chuchoter :

– Lolo, tu dois bénir ta grand-mère.

Je saisis le goupillon machinalement pour asperger le cercueil. Le cercueil ! Mais pourquoi Grannie n'a-t-elle pas été incinérée comme elle l'avait toujours souhaité ?

Pourquoi la plonger dans le noir, comme moi je l'avais été petite, mais sans jamais plus la possibilité d'en sortir ? Rester au fond du trou à tout jamais, et s'effriter comme une vieille peau de tambour. Grannie, toi, je t'aime. Pour toujours.

Je l'ai vue avant qu'on l'emprisonne dans ce cercueil. Je l'ai vue, mais je ne l'ai pas reconnue. Non, ce n'était plus elle. Plus de lumière au fond des yeux fermés, plus de sourire sur son visage glacé, plus de mouvements dans ses bras raides et décharnés. Froids comme la mort. La mort ? Une absence définitive ! Et c'est ce mot définitif qui a fait basculer le monde autour de moi. Plus de branches où me raccrocher désormais...

❁

Indifférente au monde, j'avance sans le savoir et me place aux côtés de la famille, le long de l'allée latérale. Au garde-à-vous ou presque, côte à côte, ils se regardent en coin et s'épient pour savoir la vraie douleur de l'autre. La mienne me poignarde. Mais le défilé a commencé. Les condoléances pleuvent.

– C'était une belle âme. Comme nous la regretterons...

Des phrases. Rien que des phrases.

Soudain j'ai honte de ma misère et de ma faiblesse devant tous ces rapaces qui se repaissent du décès d'autrui. La mort d'un autre, ça vous rend plus vivant. On est encore là quand l'autre est parti. Et puis la souffrance nourrit son homme. Il lui donne l'impression d'exister. Mais moi au contraire, j'ai l'impression de fondre.

À nouveau je grelotte et me force à fixer, loin devant, le bénitier de marbre froid où

Grannie plongeait si souvent la main. Tout s'enveloppe de brouillard autour de moi tandis que Charles pleurniche à petits coups économes et que la glotte de Georges, à ses côtés, monte et descend brusquement.

Et puis, soudain, le brouillard se déchire, transpercé par deux lames d'étain qui forcent mon regard. Deux yeux de métal dur qui me glacent. Autour un visage. Cruel. Bouffi d'orgueil et de graisse, prolongé par un corps lourd, informe. Et puis une bouche. Haineuse. Aux rictus amers et qui siffle :

– Toi, j'te dis rien du tout ! C'est bien fait ! Maintenant, t'es toute seule !

Silence. Le regard fouille le mien avec insistance. Quelle va être ma réaction ? Mon corps tremble. Mais je résiste. Bras de fer de deux volontés tenaces. Je tiens. Je tiens et puis, comme toujours, je craque. Mes paupières retombent, mouillées, et mon cœur explose. J'ai mal et j'étouffe. Je n'ose plus regarder mais je continue d'entendre. La voix a changé. C'est du miel qui coule pour s'adresser à Georges et à Charles qu'elle serre contre son sein comme s'il allait encore la téter.

– Si c'est t'y pas malheureux, non ? Une brave femme comme ça ! Et pas fière, que tout l'monde l'aimait. Sûr qu'on va la r'gretter. Mon canard, tu sais que j'suis toujours avec toi. On pens'ra à elle ensemble. J'te lâche pas tu sais. Tu peux tout m'demander !

Charles acquiesce avec un sourire timide et la serre à son tour, tandis qu'à nouveau les yeux me cherchent pour apprécier l'effet produit par les paroles. D'un coup je régresse. Je ne suis plus la femme de vingt-six ans, responsable de communication dans une grosse entreprise.

Soudain j'ai six ans. Je suis toute petite, j'ai peur, je veux qu'on me serre dans les bras et qu'on me dise qu'on m'aime, qu'on M'AIME ! Dis, Grannie, pourquoi tu m'as laissée toute seule ?

❀

3

Des bruits dans le couloir. Des cris, une porte qui claque et puis des sanglots.

– Le salaud ! Je vais me suicider, je vais me tuer et il aura ma mort sur la conscience…

Je porte mes deux mains à mes oreilles pour ne plus entendre. Je tremble. De froid, de peur, de chagrin.

C'est maman, qui sanglote de l'autre côté du placard, sur son lit où elle s'est jetée, la tête dans ses bras.

C'est maman parce que papa a encore une maîtresse. Je suis petite mais tout cela je le sais parce que, parfois, papa ramène une femme à la maison quand maman n'est pas là et ils se font des sourires et des clins d'œil complices. Ils s'embrassent même, entre deux portes. Et puis j'ai entendu maman lui faire des reproches :

– Encore avec une de tes putes ! Mais qu'est-ce que tu leur trouves à toutes ces pouffiasses, hein ? Elles sont vulgaires et n'ont rien dans la tête ! Tes maîtresses, elles sont toutes pareilles. Pas une pour racheter l'autre ! Elles sont beaucoup moins bien que moi !

Dans ces moments-là, maman aussi devient vulgaire et je n'aime pas ça. Mais c'est vrai qu'elles sont moins bien que maman.

– Oui, peut-être, mais au moins, elles, elles me font pas ch...

J'aime pas ces cris et ces disputes, ça me fait mal. Tous les matins et tous les soirs je prie le bon Dieu pour que ça cesse. Pour qu'ils se querellent moins :

– Mon Dieu, je vous en supplie, faites que mon papa et ma maman s'entendent bien et qu'ils arrêtent de crier. Que ma maman ne se suicide plus, que mon papa ne voie plus les autres femmes et qu'ils s'aiment de nouveau très fort.

Pourtant je crois qu'ils s'aiment, j'en suis sûre même, tout au fond de moi. Mais voilà, ils ne savent pas se le dire. Ou alors seulement à leur façon, quand ils restent couchés et enfermés dans leur chambre le week-end entier et qu'on ne sait même plus qu'ils sont à la maison sauf quand je colle mon oreille à la porte et que j'entends des drôles de bruits étouffés.

Ou alors quand ils sortent pour aller boire un verre d'eau à la cuisine et qu'ils ont un drôle de sourire qui flotte sur leurs lèvres et des étoiles plein les yeux.

Moi, comme d'habitude, ils s'occupent pas de moi ; c'est seulement Tata qui est là tous les jours, sauf le mercredi après-midi, mais ces jours-là, ça m'est égal, parce que je les sens heureux. Et ça me fait du bien. Alors, j'ose presque plus respirer et je me fais encore plus petite pour ne pas les gêner, pour les laisser se retrouver. Une maison sans cris, ça peut exister. Mais pas souvent, c'est dommage.

❀

Maman, elle a pleuré des heures, et papa n'est revenu que très tard dans la nuit. J'ai entendu Tata essayer de la consoler avec sa grosse voix bourrue et lui apporter son bouillon, même que maman lui a dit que ça passerait pas.

Tata, elle en a vite fait sa confidente. Elle lui raconte tout, ça doit lui faire du bien et Tata elle la réconforte en lui disant que tous les hommes sont des salauds, et c'est pour ça qu'elle s'est jamais mariée. Elle préfère vivre seule.

Moi, je crois que c'est plutôt parce qu'elle est moche et bête, et méchante en plus. Maman elle, elle pense que c'est vrai, les hommes c'est des sales chiens, mais ça y est, elle a deux enfants, alors elle peut plus le quitter, voyez-vous Antoinette. Il leur faut une famille à ces deux-là. Question de devoir moral. Moi, le devoir moral, je sais pas ce que c'est, mais la famille, c'est pas comme ça que je la voudrais. Pas avec une Tata. Avec juste papa et maman qui s'occuperaient de moi, et Charles qui jouerait avec moi. Peut-être je suis trop égoïste, comme on me dit toujours.

Tata elle répond à maman que c'est surtout parce qu'elle l'a dans la peau, tiens, qu'elle peut plus s'en passer. Avec ces types, c'est toujours pareil, c'est comme ça qu'ils vous ont. Et maman lui répond avec un soupir dans la voix, qu'elle a sans doute raison. Mais je suis sûre que quand elle dit ça elle sourit, comme elle sourit quand le week-end elle sort de sa chambre pour aller boire à la cuisine.

En tous cas, elles m'ont oubliée toutes les deux avec cette histoire. Je n'ai pas eu mon dîner, ni mes médicaments. On m'a seulement laissé mon pot par terre, devant le placard, parce que j'ai les jambes de plus en plus flageolantes et qu'elles ont du mal à me porter jusqu'aux toilettes. Alors je fais pipi en compagnie du grand méchant loup qui se lèche les babines en me regardant avec un drôle d'air que je lui aime pas du tout. Et je ferme les yeux très fort et je serre mes poings, mais il résiste et ne veut pas partir. Pourquoi il n'y a que lui au monde avec le croquemitaine, qui s'intéressent à moi ?

4

Toute seule dans mon placard, je rêve. Mes premiers souvenirs remontent à l'âge de trois ans.

Papa et maman m'ont emmenée au bois de Boulogne. Charles n'est pas encore né, mais maman a déjà un gros ventre tout rond qu'elle promène devant elle fièrement. Je vais bientôt avoir un petit frère, m'a dit maman, alors il faut que je sois sage et responsable. Je n'ai pas bien compris le dernier mot, mais j'ai déjà le sentiment qu'on ne me gâtera plus comme aujourd'hui. Aujourd'hui je suis seule avec papa et maman qui n'ont pas encore crié fort. Ils se sont levés tard, et ont eu envie de sortir. Et ils m'ont emmenée. Ils ont l'air de très bonne humeur.

– On va aller voir les canards, a proposé papa.

On a marché vers le lac. Soudain j'entends des rires d'enfants tout autour de moi, alors je tourne la tête. Pas loin il y a des manèges de chevaux de bois sur lesquels les petits montent et descendent.

– Oh dis, papa, je peux y aller ?

Papa prend maman d'une main et moi de l'autre et nous y conduit.

Ce sont des souvenirs cruels, qui me blessent, mais c'est doux aussi, les moments heureux ; alors je les enferme au fond de moi comme dans une cachette secrète que personne ne pourra découvrir, où personne ne pourra rien voler. Je ferme les yeux très fort et soudain je ressens les odeurs du bois, je vois ses couleurs, j'ai la joue qui me picote sous la chaleur du soleil. Mais aussitôt d'autres images viennent à moi. J'ai quatre ans, Charles est né, il a presque un an, et déjà il a pris toute la place. Tata est arrivée depuis sa naissance.

Tout de suite Tata a aimé Charles et au début elle m'a simplement ignorée. Tout le monde a aimé Charles, et moi aussi. Tout neuf, tout nouveau, tout beau. Et tout blond, avec de grands yeux bleus. Mais plus ils aimaient mon petit frère et moins ils s'occupaient de moi. Comme si leur amour n'était pas assez grand pour nous deux. Alors cet amour ils l'ont transporté pour le donner au nouveau venu. Comme ça, tout doucement, sans que personne n'y fasse attention.

❀

5

L'eau est froide, glacée même. Toute ma peau se recroqueville sur moi, et je suis envahie de frissons. Mais je n'ai pas le courage de protester.

– Assieds-toi, poule mouillée, faut que j'te lave les cheveux. Y sont tout poisseux avec ta fièvre.

Une main pèse lourdement sur mon épaule. Je glisse, dérape, et disparais brusquement au fond de la baignoire. L'eau pénètre dans mon nez, mes oreilles, j'étouffe. Une poigne saisit mes cheveux et me fait remonter à la surface. Je suffoque.

– Arrête un peu ton cinoche, tu veux ! Tes parents sont pas là, le doc non plus. Quatre bains froids par jour pour la fièvre qu'il a dit. Alors moi, je fais ce qu'on me dit. Je veux pas de reproches !

Il avait dit froid, le docteur ? Non j'avais entendu tiède, à la température du corps. Mais je n'ai pas le temps de me poser la question davantage, tout à coup, je deviens toute bleue, et je suis prise de convulsions. Là, Tata, elle commence à prendre peur et soudain elle se radoucit, comme je l'ai jamais vue :

– Doucement, doucement, Lolo, calme-toi, tu vas t'étouffer.

Brusquement elle s'agenouille à côté de moi et me passe sa grosse main rugueuse dans les cheveux tout en appuyant ma tête contre elle. C'est bon de sentir cette main dans ma toison, c'est sans doute la première fois. Et puis là, elle n'a plus sa grosse voix de croquemitaine. Soudain j'ai envie de mourir pour qu'elle soit encore plus gentille, pour qu'elle me crie plus jamais après. Je deviens toute petite et je gémis comme Charles après sa naissance. Alors elle s'affole pour de bon. Elle me soulève doucement, me sort du bain et va me coucher dans mon placard comme on couche sa poupée.

– Ces docs, avec leurs inventions ! D'abord l'eau c'est pas bon ! Me suis toujours méfiée de leurs trucs à la con, et j'avais bien raison. Je vais te faire une tisane de mon pays, tu verras, ça ira mieux après. Et puis je te laisse nue, pour que tu respires. La chaleur c'est pas bon pour les « fiévreux ».

Elle file en me laissant toute grelottante. Je l'entends au loin dans la cuisine remuer les casseroles. C'est vrai que c'est un chef dans l'art de mélanger les racines, les huiles essentielles et les feuilles des plantes.

– C'est comme ça qu'on se soigne chez nous et on est tous des rocs, qu'elle dit.

C'est vrai aussi qu'elle est jamais malade. J'attends, toute repliée sur moi-même. Bientôt une odeur suave flotte le long des murs et arrive en rampant sur la moquette.

Mes narines se dilatent, impossible de définir l'odeur. C'est doux, âcre et sucré en même temps. Étrange. Un moment après, Tata arrive avec un grand bol de liquide brûlant où nagent quelques feuilles.

– Tu bois tout, après, ça ira mieux. Tu verras !

Elle m'aide à m'asseoir et laisse à mes lèvres blanches et tremblantes le temps de s'ouvrir. À petites gorgées cette fois, j'avale sans m'étouffer. Le liquide brûlant m'inonde le corps. Je glisse dans le brouillard. Je flotte entre deux eaux. Parfois le croquemitaine s'approche et ouvre grand la bouche. Il a des crocs qui brillent. Je hurle, je me débats et je file entre ses doigts.

Puis je m'envole au-dessus du placard, tandis que mon front ruisselle comme un nuage qui éclate en pluie multicolore. Et la pluie va tacher Tata.

Je délire ainsi plusieurs heures. Tata vient parfois me mettre un gant frais sur le front, mais repart aussitôt et me laisse toujours seule avec le croquemitaine qui joue à cache-cache avec moi. Longtemps après, je me réveille, enfin. J'ouvre mes yeux collés, difficilement. C'est papa qui m'a embrassée. Tata et maman sont allées faire les courses pour le dîner. Il est resté en les attendant. Ça fait cinq jours que je suis malade. Mais soudain, je me sens mieux. Est-ce que c'est les herbes de Tata ? Je regarde papa, je tends les bras et enserre de mes petites mains son visage. Il s'approche et m'embrasse encore.

– Tu guéris ?

Je fais signe que oui, mais une très grande lassitude s'empare de moi et j'ai une quinte de toux. Je tousse beaucoup depuis mon bain. J'ai toujours du mal à garder les yeux ouverts, bien que la fièvre soit un peu tombée. Je voudrais qu'il me sorte du placard, qu'il m'emmène sur son lit, là où je vais seulement pour la visite du docteur, mais je n'ai pas le courage de parler.

Et puis j'entends au loin des rumeurs. Maman et Tata ont dû rentrer. C'est trop tard. Papa n'a plus le temps de s'occuper de moi. Ce sera pour un autre jour… Un autre jour… peut-être…

6

Ma rougeole va mieux. Mes boutons commencent à disparaître. Mais c'est mes poumons qui vont bientôt exploser. J'aie le feu dans ma poitrine. Pas étonnant que j'ai pris froid. Tata a laissé les fenêtres grandes ouvertes dans les pièces après le ménage. Elle a oublié de fermer les portes. Il faisait 4 degrès dehors. J'étais en plein courant d'air, avec juste ma chemise de nuit sur moi. Et j'ai pas voulu refermer la porte du placard à cause de l'obscurité. J'aime pas être dans le presque noir même si mes yeux commencent à s'habituer. « Pneumonie » a dit le docteur ce matin en m'examinant sur le lit de satin rose :

– Il faut faire très attention que Laurence reste bien au chaud. Surveillez-la de très près. C'est grave.

J'ai eu très peur et j'ai serré bien fort la patte de Tommy, mon ours. Il m'a regardée avec son œil bleu et son œil marron pleins de connivence. Tata a dit qu'elle n'avait pas trouvé de boutons bleus quand il a perdu le sien. Mais moi je crois plutôt qu'elle l'a fait exprès parce qu'elle était pas contente que Charles m'ait donné son ours. C'est Grannie qui lui avait offert pour ses deux ans, mais quand Charles a vu qu'on m'enfermait dans ce placard il est venu me voir.

– T'as très bobo ?

J'ai fait oui de la tête. Je devais avoir l'air vraiment triste parce qu'il m'a aussitôt tendu Tommy.

– C'est pour toi. Tu seras plus toute seule comme ça. Je te le donne. Tu vas guérir vite, dis, pour jouer avec moi ?

J'ai serré Tommy dans mes bras fort, fort. J'étais tellement contente ! Ça me donnait un lien de plus avec mon petit frère.

J'ai pas vraiment eu le temps de le remercier, parce Tata l'a appelé et qu'il n'avait pas le droit de venir me voir. Alors il s'est sauvé en courant, en m'envoyant des bisous.

– Au revoir Tommy, au revoir Lolo, et il a disparu.

Maman a approuvé le docteur, elle a dit qu'on veillerait bien sur moi. Et puis le docteur est parti et on m'a remise dans « mon » placard. Parce que le placard est devenu « mon » placard maintenant. On me l'a donné, définitivement. Je m'y sens de mieux en mieux, loin des autres, du bruit, de Tata. Mais par moments je m'ennuie à mourir et j'aimerais tellement aller retrouver Charles dans la chambre. Et jouer. Je joue presque plus. Je n'ai que Tommy, mon livre du Petit Chaperon rouge et ma poupée Laura. Toute la journée ils vivent avec moi. Je leur parle beaucoup, de plus en plus. Mais ils sont tellement silencieux ! Peu à peu, tout doucement, la porte de mon placard se referme – parce que ça gêne quand j'passe l'aspirateur, dit Tata. Maman ne vient presque plus, papa pas souvent. C'est Tata qui s'occupe de moi. Tous les soirs elle me sort pour faire ma toilette et là, je vois jamais maman. Elle a son bridge. Souvent dehors, et de temps en temps à la maison, mais c'est dans le grand salon où je n'ai pas le droit d'aller. Tata me lave. Elle a compris cette fois. Plus question de bain. Elle me fait seulement ma toilette : la figure, la zézette, les pieds. Le plus important, a dit Tata.

– Le reste, tu le salis pas, tu bouges jamais !

Elle a raison. Et j'arrive de moins en moins à bouger. D'abord je tousse beaucoup et j'ai encore maigri. Mes jambes sont toutes molles. Je reste assise pendant des heures sur mon matelas, pendant que Charles, lui, il court dans le couloir. De temps en temps il s'arrête à ma porte, l'entrouvre un peu plus, et me regarde comme il regarde les bêtes quand on va au zoo de Vincennes le dimanche.

Je tends la main, et j'essaye d'attraper Charles, pour qu'il vienne jouer avec moi. Mais Tata vient aussitôt le récupérer et l'emmène avec elle à la cuisine.

– Reste pas là mon canard (des fois, elle l'appelle aussi « ma cane », pour elle c'est affectueux, elle est née dans une ferme, Tata). Tu vas tomber malade si t'es avec Lolo, elle est pas encore guérie.

Charles pleure. Il aimerait bien lui aussi qu'on joue ensemble. Alors Tata lui promet un bonbon, à lui tout seul, et il la suit, tout content. J'entends Tata derrière la porte, qui le console et qui l'amuse. Et lui, il rit aux éclats. Il m'a oubliée.

Ça y est, j'ai encore les yeux qui coulent. Je les essuie avec ma manche. Et mon nez aussi. Y a rien à faire, je suis une pleurnicheuse, comme dit Tata. Elle a raison. Mais je m'ennuie tellement ici ! Comme personne vient me lire des histoires, je m'en raconte. Avec des reines et des princesses, qui s'installent partout sur mon petit matelas. Et le château prend toute la place dans mon placard. Ce soir je vais au bal et j'ai un beau carrosse doré. J'entends les carillons du clocher qui sonnent à la volée. Les armées du roi parlent fort. Et il y a des cris.

– Non, non, non, et non ! C'est chaque fois la même chose ! Tu passes ta vie à m'imposer tes amis. Je n'irai pas chez les Cassan ce week-end. J'ai envie d'être tranquille, ici. Et puis, qu'est-ce qu'on va faire des enfants ?

Je reconnais soudain la voix haut perchée, un peu mondaine, qui répond :

– Écoute Georges, tu sais très bien qu'Antoinette est là tous les week-ends. Elle n'a que son mercredi après-midi, ça lui suffit. Elle peut très bien les garder.

– Mais c'est dommage de les laisser…

Elle le coupe :

– T'inquiète pas, tu les retrouveras, « tes enfants », comme ça, tu t'occuperas peut-être un peu plus de moi !

– C'est pas aussi un peu les tiens ? Moi je les avais pas demandés, je te rappelle ! Surtout Lolo, qui est arrivée au moment où je voulais te quitter ! J'ai bien compris ton jeu, à l'époque. Tu as voulu me coincer, et t'as réussi ! Alors maintenant, remplis ton rôle de mère !

– Et comme ça je te laisse vivre ta vie ? Tu crois que je suis aveugle, ou idiote et que je ne sais pas ce qui se passe derrière mon dos ? Dès que je suis occupée, tu files téléphoner, ou tu sors acheter des cigarettes et tu reviens quatre heures après ! Me prends pas pour une imbécile ! Moi, je te lâche plus, les enfants, eux, ils ont Tata. Charles l'adore et elle aussi et quant à Lolo, elle est malade et elle dort toute la journée, ça ne changera rien...

Je mets mes mains sur mes oreilles pour ne plus entendre. J'ai mal dans le ventre, dans la poitrine, dans la gorge.

À nouveau j'étouffe, mais je retiens très fort le sanglot qui monte et je suis très fière : j'ai réussi.

❀

7

Grannie est venue me voir aujourd'hui. Elle a profité de ce que papa et maman sont allés jouer au golf pour venir à la maison. Elle aime pas maman, je le sais, parce que maman lui a « piqué son fils » et que depuis elle se le garde. Bon, papa aime beaucoup sa maman, mais il peut pas la voir comme avant et Grannie et maman sont comme chat et chien qui se reniflent à trois kilomètres. Rien que quand la sonnette tinte le dimanche et qu'elle sait que c'est elle, maman a tous les poils en l'air. Moi, je crois qu'elles sont aussi jalouses l'une que l'autre et j'aime pas quand maman dit du mal de Grannie parce que moi, je l'aime bien. Elle m'apporte toujours des bonbons et du chocolat noir (j'aime que le chocolat noir) avec des noisettes dedans. Elle me lit des histoires et me raconte son enfance quand elle était petite fille. Maman a jamais fait ça avec moi et quant à Tata, j'en parle même pas. Alors aujourd'hui, elle est venue par surprise, comme le lapin qui sort du chapeau d'un magicien le jour de Noël. J'ai eu des cadeaux, un ours en peluche avec des oreilles roses et un chapeau de paille, des bonbons, du chocolat et un joli pyjama bleu-vert tout neuf assorti à mes yeux. Grannie elle me dit toujours que j'ai des beaux yeux, couleur lagons des Tropiques. Les Tropiques je sais même pas où c'est, mais Grannie me les a montrés l'autre fois sur une carte. Tata elle, elle dit qu'ils sont noirs de méchanceté mes yeux. Pourtant, je crois pas que je suis méchante, malheureuse c'est tout, mais je veux du mal à personne. Un peu à Tata, parfois, mais là j'ai honte et je chasse vite cette pensée de ma tête. Grannie a donné à Tata une liste de courses pour le dîner et des sous aussi. Elle veut me gâter. Tata avait sa tête des mauvais jours, elle a ronchonné qu'elle avait pas que ça à faire mais Grannie lui a mis 100 francs dans la main en la remerciant de ses bons services, alors son visage s'est éclairé et elle a filé sans demander son reste. Tata aime pas Grannie malgré ses sous parce que maman l'aime pas. Alors bien sûr…

Elle a emmené Charles avec elle – parce qu'il faut qu'il s'aère ce pauvre chou, et tiens, pendant que j'y serai, je l'emmènerai faire des chevaux de bois au Champ-de-Mars, ça lui changera les idées. Grannie a rajouté des sous, et ils sont partis tous les deux, la main dans la main, comme des amoureux.

Enfin seules ! Grannie me coiffe longuement, doucement, me parfume avec son Shalimar, j'adore cette odeur, me raconte sa vie, l'histoire de France, la géographie... C'est drôle, elle m'a toujours parlé comme à une adulte, et moi je l'écoute. Je suis petite, mais je sais tellement de choses grâce à elle que dans ma tête je me sens très grande, parfois vieille, même. Grannie me parle d'autres vies et de réincarnations. Je me demande si j'en ai pas déjà eu. Elle me sort de mon placard et soupire :

– Mais tu peux me dire ce que tu fais là-dedans ? Mettre une petite fille dans un placard, j'ai jamais vu ça, moi ! Mais bien sûr, j'ai que le droit de me taire et de donner de l'argent. Si je dis rien, remarque, c'est juste à cause de ton pauvre père. Il a déjà assez d'ennuis avec la femme qu'il a. Toujours à le tracasser, toujours des scènes et des problèmes.

Et mondaine avec ça. Elle fait des enfants et elle s'en occupe jamais ! Mais bon, j'ai pas à te dire ça, c'est ta mère après tout. Mais tu peux me dire ce que tu fais dans ce placard ?

Je peux lui dire, oui, mais j'ai plus le temps. L'horloge vient de sonner six heures, Tata tourne la clef dans la serrure, papa et maman ne vont plus tarder, eux non plus. Grannie préfère s'esquiver. Elle a pas envie de voir sa « bru » comme elle dit.

Elle me serre contre elle, passe sa main dans mes cheveux, me berce contre sa poitrine. C'est tellement bon que j'ai envie de pleurer et j'arrive pas à retenir mes larmes.

– Pleure pas ma chérie, (c'est la seule qui m'ait jamais appelée « ma chérie », c'est joli, « ma chérie », non ?). Pleure pas, je vais revenir bientôt. Promis, mais tu dis rien, hein ? Secret entre nous ?

Je hoche la tête, j'acquiesce que oui d'accord, je dirai rien. Grannie me fait un dernier câlin, me repose sur mon lit, elle me « range » doucement dans mon placard, et file après avoir donné à Charles son auto (elle aurait bien aimé le voir plus souvent mais « on » le lui laisse jamais, que voulez-vous) et file vite avant que les parents reviennent.

Je ferme les yeux et m'endors le nez sur la manche du pyjama tout neuf où flottent encore les traces de son odeur.

❁

8

Des odeurs j'en ai plein le nez, la tête, le cœur.

J'ai quatre ans. Maman est venue me chercher à la maternelle. C'est bientôt Noël, je vais voir les guirlandes et les sapins, les décorations des magasins. Et dans l'air, devant les vitrines, flottent les parfums des marrons chauds, et des gaufres et des crêpes qui me font saliver.

– Maman, j'ai faim !

À cette époque j'avais tout le temps faim, et je croque à pleine bouche dans la pâte croustillante. Je m'éclabousse de sucre et je ris.

Maman est plongée dans son carnet de rendez-vous, elle regarde sa montre et prend un air impatient. Elle s'occupe déjà moins de moi, mais elle me tient la main devant les vitrines et je sens le lien qui nous unit. Je la serre fort, très fort, comme si je pressentais déjà que ce lien ténu va craquer. Mais, pour le moment, les lumières, les odeurs et la main de maman suffisent à me combler.

9

D'abord t'es moche et t'es con ; tu f'ras jamais rien d'bien dans la vie !...

Ça, c'est Tata. Tous les jours elle me le répète. Pour être sûre que j'ai bien compris et que j'oublie pas ! Au début je protestais. Maintenant, je me tais. Peut-être qu'elle a raison. Elle dit que je comprends jamais rien. Pourtant j'ai souvent l'impression de comprendre tellement plus de choses que les autres enfants de mon âge. J'enregistre tout. Je retiens tout, parce que j'ai une très bonne mémoire. Mais après, je sais plus rien sortir. Je garde tout en moi, comme si j'avais peur qu'on me le reprenne, mon savoir. Et puis, je sais pas l'exprimer. J'ai des choses si puissantes dans ma tête et dans mon cœur, que j'ai pas les mots pour les dire. Ils sont pas assez forts. Alors je préfère tout garder pour moi. J'écoute et j'observe beaucoup, même si j'en ai pas l'air, et je porte mes yeux partout. Je les cache pas, même s'ils sont pas beaux, comme dit Tata. Elle a sans doute raison d'ailleurs, parce que moi, je me suis jamais trouvée belle. Y a que ma Grannie et papa qui me trouvent à leur goût. Les autres, ils me disent rien, sauf Tata, qui me trouve carrément moche. Mais bon, tant pis, j'en ai pris mon parti.

N'empêche que ça me fait quand même de la peine quand elle me le répète tous les jours.

– T'es moche, t'es con et tu f'ras jamais rien de bon dans la vie, toi !

Pourtant, je sais que j'en ai du bon en moi, et j'ai envie d'en donner tout plein à tout le monde. Mais voilà, je suis trop petite et puis dans mon placard, c'est pas facile…

Papa est revenu aujourd'hui. Ça faisait quatre jours que je l'avais pas vu. J'ai essayé de lui dire, entre deux quintes de toux :

– Tu sais, Tata, elle me déteste et elle est méchante avec moi.

Il m'a prise dans ses bras pour m'embrasser en me demandant pourquoi, mais alors maman est arrivée, et elle a commencé à crier en se fâchant :

– Lâche ta fille, espèce de vieux vicieux. Toujours à la léchouiller et à la tripoter, hein ? À croire que tu n'en as que pour elle, en dehors des autres bien entendu !... Moi, je compte pas, bien sûr, je n'ai jamais compté d'ailleurs !

Papa m'a lâchée aussitôt, comme s'il était pris en flagrant délit. Il s'est retourné vers maman :

– Écoute Rose, Lolo me dit que Tata ne l'aime pas. Qu'elle lui fait du mal...

– N'importe quoi ! coupe maman d'un ton sec. Décidément cette petite ne sait pas quoi inventer pour attirer l'attention sur elle. Et toi, tu vas gober tout ce qu'elle te dit ? Plus naïf, ça n'existe pas. Écoute-moi bien : Tata est par-fai-te (là, elle détache bien ses mots) tu entends, parfaite ! La cuisine, le ménage, les enfants, elle sait tout faire je te dis. Et honnête avec ça. Une vraie perle. C'est pas demain la veille que j'en retrouverai une autre comme ça. Alors laisse dire Lolo, elle invente n'importe quoi et fais-moi confiance, Tata, on peut lui laisser la maison et les enfants sans problèmes. C'est important ça, non ?

Papa ne répond pas. Il ne sait plus quoi penser. Entre sa femme et sa fille... Mais une adulte, c'est plus crédible quand même. D'autant que Rose n'arrête pas de lui dire que Lolo ment tout le temps. Peut-être bien qu'elle s'invente des histoires après tout...

Papa me lâche et m'abandonne. Il est vaincu.

– Viens, ordonne maman, on va être en retard chez les Macet. Va changer de costume.

Il me quitte sans même plus oser me regarder. Maman, négligemment, repousse doucement la porte du placard. Il n'y a plus qu'un filet de lumière qui filtre. J'entends ses hauts talons qui claquent et s'éloignent. Je suis donc si mauvaise que ça ?

❀

10

– Mauvaise ! C'est Tata qui le dit sans arrêt depuis qu'elle s'occupe de moi.

J'ai cinq ans. Maman s'est inscrite à un club de bridge, elle est très prise maintenant. Le matin courses et expositions, l'après-midi bridge. Elle m'a abandonnée à tata. Mais Tata ne veut pas de moi. Elle a déjà Charles, sa cane, son petiot auquel elle s'est très vite attachée. Alors moi je gêne. Elle a dressé un paravent dans notre chambre à tous les trois. Eux d'un côté à jouer, à rire, à chahuter, moi de l'autre, à écouter, dans mon silence.

Mais un jour je me suis plainte à maman de cette séparation, de cet isolement et maman est allée dire à Tata qu'il fallait jouer avec moi aussi. Tata s'est récriée qu'elle le faisait, bien sûr, Madame, mais que j'étais toujours en train de lui chercher des noises et que je voulais la faire accuser et punir à tort parce que j'étais une mauvaise.

Une mauvaise, a répété alors maman. Et j'ai gardé définitivement ce qualificatif, comme une étiquette collée à ma peau. Suis-je vraiment une mauvaise ?

❁

11

Je somnole mais je n'arrive pas à dormir. J'attrape Tommy pour lui parler quand je vois la porte s'ouvrir et Charles rentrer, son lapin François pendu par une de ses oreilles à ses doigts, son nounoune dans l'autre main.

– Tata téléphone ! ronchonne-t-il avec un air de reproche. Je suis tout seul et je m'ennuie.

Je le regarde plus attentivement. C'est vrai qu'il est mignon, mon petit frère, plus mignon que moi. Il a les joues bien roses et il est tout potelé, avec des boucles blondes et toujours ses grands yeux bleus. Je comprends pourquoi tout le monde l'aime. Il me fait penser à un gros gâteau.

Il continue :

– Tu joues jamais avec moi ! Tu viens jouer avec moi ?

Je souris. C'est vrai qu'on joue jamais ensemble, mais c'est pas de ma faute quand même !

Il doit bien le savoir ! Pour une fois que Tata lui fiche la paix.

Charles grimpe sur mon lit en tenant son lapin par le cou et l'agite devant moi.

– Pourquoi tu viens pas jouer avec mes voitures ? Tu me racontes une histoire, dis ? me demande François, le lapin.

Il est drôle mon petit frère. Je rentre dans le jeu et dresse Tommy à mon tour, qui lui répond :

– Tu vois bien que je suis malade. On m'a enfermée ici, et je peux plus bouger. Tu me manques, tu sais. Moi, j'ai personne à qui parler !

François redresse une oreille, il a l'air surpris.

– Tu vas guérir quand ?

Tommy baisse les bras l'air dépité.

– Je sais pas. Tu veux une histoire ?

Je reçois aussitôt François en pleine figure. Il s'agite très fort devant mes yeux et ses oreilles me balayent le visage.

– Oui, une histoire. Une belle histoire avec des dragons, des monstres, des châteaux hantés !

Tommy se cache sous la couverture en tremblant et François éclate de rire.

Tommy ressort de la couverture et commence :

– Il était une fois – là, François s'assied sur les genoux de Charles, qui prend son pouce dans sa bouche en même temps, et ne bouge plus, l'air attentif. Il était une fois un vilain monstre qu'on appelait Tata.

– Non, répond François en secouant la tête énergiquement. Tata elle est gentille !

Je le regarde tristement. Oui, avec lui c'est vrai…

Tommy se penche à l'oreille de François pour lui expliquer :

– Elle est gentille avec toi, pas avec moi !

François réfléchit.

– Tu as raison. Alors je vais le battre très fort, le monstre Tata ! Et François attrape dans ses pattes la grosse barrette de mes cheveux qui traîne sur la couverture et saute sur Tommy en le frappant de toutes ses forces.

– Méchant, méchant monstre. Grrr, tiens, vilain, tu m'échapperas pas !

Je souris. Ça m'amuse de voir Charles taper sur le monstre Tata de toutes ses forces. Tommy se lance dans la bataille et tous les deux se donnent des coups et roulent l'un sur l'autre avec des cris violents.

– Ze vais te tuer ! hurle François très excité, tandis que Charles saute sur mon lit, rouge d'émotion.

Quand il est excité ou ému, Charles zozote toujours un peu.

– Non, c'est moi, crie Tommy, que je tiens, assise, à bout de bras.

On crie tous les deux ensemble, on s'agite, mais soudain j'ai des papillons qui dansent devant mes yeux. Tout se met à tourner et je retombe, épuisée, en nage, la bouche ouverte, sur mes oreillers. J'ai dû faire trop d'efforts.

Charles prend peur. Il descend de mon lit et appelle :

– Tata ! Tata ! Et court la chercher.

Tata arrive en traînant les pieds, comme toujours. Elle pose sa grosse main sur ma tête pour prendre ma température et décide que ce n'est rien.

– Tu l'as trop fatiguée Charles ! Je t'ai déjà dit de pas jouer avec elle. Lolo est malade, et toi tu dois faire attention à pas l'attraper, sa maladie. Viens ma cane, reste pas là, c'est pas bon pour toi.

Elle tire Charles par le bras et repousse la porte de mon placard.

– Et toi, Lolo, tu lui fous la paix et tu te calmes, me crie-t-elle en s'éloignant dans le couloir.

J'ai chaud, j'attends que ça aille mieux, mais je regrette pas. J'étais vraiment contente d'avoir vu un peu mon petit frère. C'est pas si souvent quand même.

12

Ça fait trois semaines, un mois, un mois et demi déjà que je suis dans mon placard? Je sais plus très bien, mais les jours sont longs et s'étirent à l'infini, dans la semi-obscurité de la douceur moite de ce recoin. La porte reste à peine entrebâillée maintenant. On m'a rangée comme les balais du réduit de la cuisine. Je suis à ma place ici. Je ne dérange pas l'ordre de la maison. Je ne tousse pratiquement plus d'ailleurs et le docteur n'est plus venu depuis longtemps. Je sais qu'il a demandé de mes nouvelles, j'ai entendu Tata le dire à maman, mais elle l'a rassuré:

– C'est plus la peine de vous déranger, elle se porte comme un sou neuf!

Je tousse plus, mais je tremble de tous mes membres tellement je me sens faible. Et amaigrie. C'est sûr qu'on pourrait jouer de la musique en tapant sur mes os, parce que j'ai pas beaucoup de graisse dessus. Tata m'apporte régulièrement mes repas, mais comme je sors jamais, et que je bouge pas, j'ai pas faim du tout. Papa et maman sont sortis aujourd'hui. Ils ont emmené Charles qu'ils veulent présenter à son parrain, Marc, qui ne l'a pas vu depuis deux ans. Ils ne reviendront que demain soir. Tata est restée pour me garder, en ronchonnant, comme toujours, que je pourrais bien rester seule dans la journée, et qu'elle reviendrait le soir me faire dîner et rester coucher parce qu'elle avait un rendez-vous.

Mais là, papa, pour une fois, a été très ferme.

– Antoinette, vous ne bougez pas ! Lolo est trop faible. Il peut lui arriver n'importe quoi ! Vous restez jusqu'à notre retour.

Antoinette n'a rien répondu, mais je sais que c'est moi qui vais payer sa mauvaise humeur. Elle va encore trouver une occasion de me battre, c'est sûr ! Tant pis, je peux rien faire et de toutes façons, on me demande pas mon avis. J'aurais pourtant préféré rester seule avec mes poupées, mon livre, le croquemitaine et le grand méchant loup. J'ai l'habitude maintenant. Je m'ennuie plus avec eux, même s'ils me font toujours très peur.

Papa, maman et Charles sont partis sans me dire au revoir.

– Vite, mettre sa veste à Charles, son écharpe pour qu'il n'attrape pas froid, tu n'as pas oublié ses jouets au moins ? Sinon il va s'ennuyer le pauvre chéri, oh tu as vu l'heure, on va être en retard, on file, au revoir Tata, à demain soir...

Au revoir Tata ! Et moi, on m'a rien dit. C'est normal, on me voit presque plus. Je disparais avec le temps. Je me fonds dans l'obscurité et le silence de mon placard. Je me demande s'il n'y a plus que Tata qui sait que je suis là. C'est la seule que j'ai vue depuis plusieurs jours. Au moins c'est toujours ça : une voix, un visage, quelque chose à quoi se raccrocher. Je la déteste, elle aussi me déteste, nous le savons toutes les deux, mais pour moi, c'est quelqu'un qui me rencontre, et même dans la haine, je sais que j'existe encore. Cet après-midi, après le départ de papa et maman, il y a eu un coup de sonnette. Elle est allée ouvrir, j'ai entendu une voix d'homme que je n'ai pas reconnue. C'était pas celle de papa, ni d'un ami, mais une voix toute nouvelle. Tata lui a parlé tout doucement. Elle aussi avait changé de voix. Une voix de jeune fille, toute timide et douce, que je lui ai jamais entendue. De l'autre côté de mon placard, il y a sa chambre. Enfin la chambre où je couchais avec elle et Charles, mais qui n'est plus la mienne maintenant. Qui n'est plus que la leur. Elle l'a emmené, je les ai entendus chuchoter, et puis rire. Les cloisons sont minces dans l'appartement, on entend les bruits facilement, surtout le soir et le matin quand papa et maman crient. Mais même quand elle chuchote, Tata, je l'entends. À force de vivre dans le noir, j'ai les oreilles qui entendent mieux. C'est par elles que je communique maintenant, que je reste en contact avec ma famille. Alors Tata et son ami ils chuchotent, et puis ils rient très fort et tout à coup ils disent plus rien du tout. Qu'est-ce qui se passe ? Ils sont fâchés ? Il est parti ? Mais je crois pas, j'ai pas entendu son pas. Tout à coup j'ai très peur. J'ai entendu Tata crier, et gémir. Je tremble. S'il lui fait mal, elle va plus pouvoir travailler. Qui est-ce qui va s'occuper de moi ? Et puis, j'aime pas les méchants. J'irais bien regarder, mais j'ai trop peur, je vais être grondée, et puis je suis trop faible avec mes jambes toutes molles. Tata elle continue à gémir, mais elle a l'air d'aimer ça, parce que je l'entends qui dit :

– Oui, oui, encore, encore, continue chéri, plus fort, viens, encore.

Je comprends plus rien. Elle aime qu'on la batte, Tata ? Moi je savais pas. Alors peut-être que quand elle me bat, c'est pour me faire plaisir ? Oui, mais moi j'aime pas. Il faudra que je lui explique. En fin de compte, elle me bat pour être gentille avec moi, peut-être ? Peut-être aussi qu'elle m'aime bien après tout ? J'ai plein de pensées qui se bousculent dans ma tête. Je sais plus où j'en suis et pendant ce temps, elle continue à crier Tata, derrière mon placard, et à en redemander. Je me bouche les oreilles, et je tremble comme une feuille. J'aime pas qu'on se batte, même si Tata aime ça. Et puis l'homme aussi il s'est mis à crier et à dire des choses horribles :

– Tiens, prends salope, prends, c'est pour toi.

J'aime pas comme cet homme traite Tata. J'en peux plus. Je voudrais que ça finisse, qu'il s'en aille. Tous ces cris ça me fait très peur. Comme les cris de papa et maman quand ils hurlent dans leur chambre. Mais ça dure, ça dure, et moi je pleure et j'enfonce mes doigts très loin, très loin dans mes oreilles. Et puis, tout à coup, tout s'arrête. Il n'y a plus aucun bruit. Silence de mort dans la maison. Il l'a tuée, Tata, ou quoi ? J'ai encore plus peur. En fin de compte je préférais presque quand elle criait. Au moins je savais qu'elle était vivante. J'attends. J'ose plus respirer. Dans ma poitrine, mon cœur tape trop fort. J'étouffe. Le silence dure longtemps. Je serre Tommy contre moi :

– Tommy, tu crois qu'on va rester seuls tous les deux ?

Il me regarde de son œil bleu et de son œil marron, et il a l'air tout aussi inquiet que moi.

❁

13

Le silence s'est installé et puis, soudain, des rires de nouveau. Tata n'est pas morte? Je respire enfin. Le sang afflue à mon visage. Elle est pas morte et elle rit? Et lui aussi il rit, je les entends tous les deux, et ils se font des bisous bien fort que j'entends aussi. Et ils se disent des mots tendres: « Ma puce, mon chaton, mon lapin... »

Toute la basse-cour y passe. Tata n'est plus une salope alors? J'y comprends vraiment rien, moi, à leurs jeux.

Elle a raison Tata, quand elle dit que je suis très « con », parce que là, ils m'ont bien eue tous les deux. J'ai marché complètement. J'ai rien compris du tout. Tommy non plus d'ailleurs.

J'entends l'eau de la douche couler. Ils ont dû avoir très chaud, je les entends ensemble qui ont l'air de bien s'amuser.

J'ai soif. Toute cette eau me donne soif. Mais j'ose pas appeler, sûr que Tata me grondera. Je passe ma langue sur mes lèvres sèches, et j'avale ma salive. C'est pas ça qui me désaltère, mais je fais ce que je peux.

Et puis la porte s'ouvre. Je les entends qui marchent dans le couloir.

Ils se font encore des bisous. Ça claque dans le silence de l'appartement. Tata, elle raccompagne son ami à la porte, ils chuchotent encore, et puis la porte se referme. Ça y est, il est parti pour de bon, cette fois. Les pas lourds se rapprochent de nouveau. Timidement, j'appelle :

– Tata ? Tata !

J'ai trop soif, et puis je veux voir si elle a des bleus et des bosses partout. Est-ce qu'elle est blessée ?

Une grosse voix ronchonne. C'est plus la petite voix douce de tout à l'heure. C'est la grosse voix que je connais si bien.

– J'l'avais oubliée, celle-là ! Encore à m'réclamer ! Y a pas à dire, on peut pas avoir la paix cinq minutes avec elle !

Cinq minutes ? Moi, j'ai l'impression que ça fait des heures que je dis rien, toute repliée sur moi dans mon placard, pour pas la déranger. Elle se rend jamais compte de mes efforts, de toutes façons.

La porte du placard s'ouvre. La grosse (je l'appelle comme ça quand je suis toute seule avec Tommy) apparaît. Je la regarde, incrédule. Mais non. Elle n'a pas de bleus ni de bosses. Elle n'est pas blessée non plus. Elle a le visage détendu, au contraire, avec le même sourire tout partout, dans les yeux et sur les lèvres que maman quand elle va boire son verre d'eau à la cuisine le dimanche après être restée enfermée des heures avec papa.

Tata, elle a juste l'air un peu fatiguée, c'est tout. Fatiguée, mais détendue.

– Quoi tu veux, encore, la gamine ?

– Tata, j'ai soif. Dis il t'a pas fait mal, le monsieur ? J'ai eu très peur, tu sais.

Le visage de Tata se ferme. Ses yeux deviennent tout noirs. Tout à coup elle me regarde méchamment et m'attrape le bras très fort.

– T'as entendu dis ? T'as entendu ? Toujours à coller ton oreille partout, p'tite peste !

Qu'est-ce que j'ai encore dit ? Qu'est-ce que j'ai encore fait ? Tout se brouille. J'éclate en sanglots. Je ne peux rien répondre. Tata me secoue comme le pommier de la campagne, chez Grannie, quand elle veut faire tomber les pommes reinettes :

– Arrête de chialer, c'est exaspérant à la fin. Tu chiales tout l'temps Lolo. Pour un oui, pour un non. Et pis, écoute bien c'que j'vais t'dire. T'as pas intérêt à raconter. À personne, t'as compris ? J'sais pas c'que t'as vu, ou entendu, et pis j'm'en fous si tu veux tout savoir, mais t'as intérêt à la boucler parce que sinon, ça va chier pour toi ! J'te l'dis, moi ! T'as compris, Lolo, dis, t'as bien compris ?

Elle me secoue encore. Instinctivement je porte mon autre bras, le libre, devant le visage. Les claques de Tata, je les connais. Ça fait rudement mal. Elle arrache mon bras de mon visage pour me forcer à la regarder, à lui dire que j'ai bien compris, oui.

❁

14

Tata est partie. J'ai entendu la porte claquer. Elle est partie sans me donner à boire et j'ai toujours aussi soif. Ma gorge me brûle de plus en plus. Il faut à tout prix que je boive. Je pousse la porte de mon placard. La lumière pénètre, aveuglante pour mes yeux habitués à l'obscurité. Je cligne des paupières en faisant la grimace et tente désespérément de me mettre debout en m'agrippant au mur. Mais mes jambes sont trop faibles. Elles flanchent et sont incapables de me soutenir. J'ai soudain le vertige. Je m'effondre, en larmes, sur mon matelas. Tata, pourquoi tu m'as pas donné à boire ? Une petite voix dans ma tête me rabroue :

– Laurence, tu vas pas te laisser faire quand même ? T'as de la volonté ou non ? C'est trop facile de baisser les bras. T'as toujours dit que t'avais du courage et de la volonté. C'est le moment de le montrer, sinon, t'es plus qu'une chiffe molle.

Cette petite voix, je la connais bien. C'est mon Jiminy Criquet à moi. Il me parle toute la journée. Je lui réponds. J'ai des longues conversations avec Jiminy et on n'est pas toujours d'accord tous les deux. Alors des fois je me fâche et je l'envoie promener. Mais il ne me lâche pas. Il ne me lâche jamais. Il revient à la charge tout le temps et souvent je finis par me rendre à ses raisons et par faire ce qu'il me dit. Là encore, je sais que je dois lui obéir. Malgré tout ce que me rabâche Tata, j'ai encore une bonne opinion de moi. Et surtout, je ne voudrais jamais manquer de volonté. Sinon, Tata m'enfoncera encore davantage. Je dois avant tout lutter contre elle, me battre, lui résister. Jusqu'au bout. Cette pensée me redonne des forces. À moi, mais pas à mes jambes. Alors je décide d'une autre tactique. Tata a pas voulu me donner à boire ? Ça ne fait rien, je boirai toute seule.

Je sors du placard à quatre pattes et je me traîne sur la moquette du couloir. C'est fou, rien que de faire ça, je suis toute essoufflée et en nage. Je m'arrête, je prends mon temps, et je repars. J'avais décidé d'aller jusqu'à la cuisine mais c'est trop loin. En chemin, il y a la salle de bains du couloir, celle que papa prend pour lui parce que maman s'est gardée pour elle seule celle de la chambre. J'irai boire au lavabo. La porte est ouverte. Le carrelage est dur et froid. J'ai mal aux genoux. Je fais la grimace, mais cette fois, je ne fléchirai pas. Le lavabo est tout près. J'attrape le rebord, une main, deux, et tente de me hisser. Mais même avec un appui, mes jambes ne répondent plus. Une fois encore, je me tords la cheville et retombe sur le carrelage froid, des larmes sur les joues. Le bidet est juste à côté. À quatre pattes, je n'aurai aucun mal à boire dedans. Je tourne les robinets, et me mets à laper l'eau fraîche qui s'écoule sur les côtés. C'est bon dans ma gorge brûlante. Je bois sans prendre le temps de respirer, sans arrêt, comme si j'avais des années de soif à rattraper. Je mouille mes yeux rougis, ma figure, mes cheveux. J'ai envie soudain de plonger dans ce bidet, de m'engloutir dans l'eau de ce bidet. Je ressors la tête, toute ruisselante, heureuse. C'est comme une bonne blague que j'aurai faite à Tata. Il y a longtemps que je me suis pas sentie aussi bien. Maintenant j'ai de la fraîcheur partout.

Je reste un long moment à regarder l'eau s'écouler et j'ai du plaisir à entendre le bruit qu'elle fait. Mais Tata peut revenir d'un moment à l'autre. Si elle me trouve là, elle va encore me gronder, c'est sûr ! Je referme les robinets à regret et repars vers mon placard. J'ai encore mal aux genoux, mais je commence à m'habituer, ou c'est parce que j'ai pris un petit moment de bonheur ?

Le trajet du retour me semble plus rapide. Je m'allonge sur mon lit, essoufflée malgré tout, mais heureuse, de l'eau plein les yeux. J'ai pris soin de repousser comme il faut la porte de mon placard. Il faut pas que Tata sache, surtout pas !

❀

15

Elle est revenue, la « méchante ». Avec des provisions pour le dîner. Bien sûr, elle m'a pas demandé si j'avais besoin de quelque chose mais maintenant que j'ai bu, ça va mieux. Je me suis endormie. Il y a de l'eau partout dans mon placard et une cascade jaillit de l'ampoule au plafond. Je suis toute nue et je plonge dans cette cascade et je m'éclabousse et j'éclabousse le croquemitaine et le grand méchant loup en me moquant d'eux. Eux, ils font vraiment la gueule et ils se sont recroquevillés sous ma couverture. Je me moque d'eux et je n'en ai plus peur du tout. Je plonge dans l'eau, je saute, je ris aux éclats. Il y a un oiseau-mouche avec de grandes ailes qui me frôlent le nez et le visage. Ça me chatouille, mais ça me gêne aussi. Je le chasse d'un mouvement, mais il revient l'instant d'après. Avec ma main, j'essaie de le repousser à nouveau, mais je reçois à ce moment-là une grande claque sur le nez. Je suffoque et tout à coup je sors de mon rêve et j'ouvre les yeux à demi. Tata est au-dessus de ma tête et elle me balance sa culotte sous le nez pour me réveiller. Je fais une grimace et je porte ma main à mon nez. Ça me fait mal. Mais quand je retire les doigts, ils sont tout poisseux et pleins de sang. Je les regarde, interloquée, pendant que j'entends :

– Petite chieuse, tu comprends jamais rien à la plaisanterie. Sale caractère va ! Et en plus, maintenant, tu saignes du nez et tu vas en mettre partout, rien que pour m'emmerder. Tu le fais exprès pour que j'aie ton linge à laver en plus, sale emmerdeuse. J'en suis sûre, ça oui ! T'es vraiment bonne qu'à empoisonner la vie des autres, toi ! Et elle part chercher une serviette et une cuvette parce que je saigne vraiment beaucoup du nez. Une vraie hémorragie. Mais je m'en fiche et je souris pendant que le sang coule sur mes lèvres. C'est vrai, Tata, elle va avoir du boulot en supplément. Elle avait qu'à pas me taper. C'est bien fait pour elle !

❀

Elle m'a quand même lavée et changée parce que « qu'est-ce qu'y va encore dire ton père si y t'rouve dans c't'état-là, hein ? » Et puis elle m'a donné ma soupe et ma viande, que j'ai en horreur, j'ai toujours détesté l'odeur et le goût de la viande. Plus tard, quand je serai grande, je serai végétarienne. Mais pour l'instant maman y tient beaucoup à ce que je mange ma viande, une des rares choses auxquelles elle tienne beaucoup pour moi. « Pour bien grandir », qu'elle dit, et moi j'en ai horreur et comme je reste devant pendant des heures, que je la mange pas et qu'elle refroidit, ça finit automatiquement par une fessée. Mais je préfère encore ça au goût de la viande. Des fois, Tata me pince le nez tellement fort pour me la faire avaler que j'ouvre la bouche et que je l'avale tout rond sans mâcher. On sent moins le goût comme ça. Mais après, sans le faire exprès, je suis prise de haut-le-cœur irrésistibles, et malgré moi je finis par vomir. Alors là, c'est la catastrophe et je prends une raclée monumentale pendant que le croquemitaine se tient les côtes tellement il se marre. Et ensuite, à eux deux, le croquemitaine et Tata, ils me font ré-ingurgiter tout mon vomi, et j'ai intérêt à le garder dans l'estomac cette fois !...

Bon, ce soir j'ai juste mangé une bouchée de la viande, mais pour une fois, Tata a rien dit. Elle va pas me retaper, sinon faudra encore qu'elle lave mes draps et mon oreiller. Elle préfère faire celle qui a rien vu et laisser tomber. D'ailleurs elle doit téléphoner. Elle me l'a dit :

– Dépêche-toi Lolo d'finir. J'ai un coup de fil à passer.

Heureusement que papa est pas au courant, lui qui gueule sans arrêt parce que la note est trop élevée. Tata, elle reste des heures et personne le sait. Personne sauf moi, mais je dis rien. Les baffes, je raffole pas !

❀

16

Il fait nuit. Tout est calme. Je dors contre Tommy et Lola, ma poupée que Grannie m'a achetée. Des fois j'ai presque plus de place tellement ils en prennent, mais bon, ils sont encore jeunes, c'est normal.

Et puis tout à coup j'ai très envie de faire pipi. J'ouvre un œil et je regarde mon pot avec inquiétude. Il est plein à ras bord. Tata l'a pas vidé hier soir, trop absorbée par le coup de téléphone qu'elle avait à donner. Et moi, comme d'habitude, j'ai rien osé dire, et puis de toutes façons on m'écoute jamais ! Mais je suis lâche et je m'en veux. Mon pot, je peux le voir parce que justement, « pour pas être dérangée la nuit pour rien » Tata a dit à maman de mettre une petite veilleuse jaune dans la pièce. Alors comme ça je peux discerner tout ce qu'il y a autour de moi. Mais cette fois, ça sert à rien. Il va falloir quand même que je l'appelle. Timidement je dis :

– Tata ? Tata ! Mais ça ne sert à rien si je crie pas. Elle m'entendra de l'autre côté du placard que si je crie très fort. Alors je m'égosille :

– Tata ? Tata !

Rien. Elle a même pas bougé. Je panique. J'ai vraiment envie. Et puis peut-être qu'elle est morte ? C'est drôle, j'y pense tout le temps à la mort. Pour Tata et pour moi. Mais elle, c'est pour la punir. Moi, c'est pour me délivrer. Alors, je continue :

– Tata ! Tata ! Au moins un quart d'heure. J'ai dû le dire deux cents fois. Sans arrêt. Et puis soudain j'entends des grognements. Comme ceux d'une bête. On remue à côté. Une grosse masse qui se lève. Des pas pesants. La porte qui s'ouvre et une voix mauvaise, teigneuse, qui gronde :

– Quoi encore ?! Qu'est-ce que t'as à me faire chier en pleine nuit toi ?

Soudain j'ai peur. Je tremble. Elle me fait vraiment peur, Tata, par moments, quand elle a sa mauvaise voix. Parce qu'elle frappe fort à ces moments-là. Je tremble sous ma couverture et je réponds pas. Elle aboie de nouveau :

– Tu m'as appelée p'tite peste ?

Timidement, je m'entends lui répondre :

– Non, j'ai rien dit.

– Sale petite peste, va. Tu me réveilles rien que pour m'emmerder sûrement à cause des saignements de nez de tout à l'heure. T'es vraiment qu'une salope ! Et elle repart se coucher en claquant la porte.

J'ai mal à la vessie mais je ferai pas pipi cette nuit. Tant pis. J'ai rien pu lui dire. Trop peur.

Je dors pas de la nuit. À six heures, le lendemain, Tata arrive.

– À la campagne, on se lève tôt et c'est pas parce que t'es dans ton placard qu'il faut prendre des habitudes de paresseuse.

Alors elle ouvre les volets, les fenêtres, vide mon pot, me le remet machinalement sans dire bonjour – d'ailleurs elle le dit jamais – et va préparer le petit déjeuner. Et là, enfin, je peux faire pipi ! Comme c'est bon ! Je ne suis plus qu'une eau qui coule, comme je n'étais plus qu'eau quand je plongeais dans la cascade de mon placard. En fin de compte il n'y a qu'avec l'eau que j'ai de bons rapports. Et avec Grannie aussi bien sûr, mais ça, ça n'a rien à voir. Peut-être que j'étais heureuse dans l'eau du ventre de maman ? Le bonheur, je sais plus ce que c'est, je sais même pas si je l'ai connu un jour, des petits moments de bonheur, oui, mais le vrai bonheur ? Mais c'est un mot que j'aime. Il me fait rêver ! Je reste, longtemps, longtemps sur mon pot rose, la tête entre les mains. J'ai l'impression de fondre et je me sens bien.

– Tu dors Lolo ou quoi ? Je relève la tête.

Tata est là, avec le bol de lait chaud et les tartines de pain de campagne. L'odeur du lait chaud me soulève le cœur. C'est drôle parce que j'adore le lait, mais seulement froid. Le lait chaud, avec la viande, c'est tout ce que je déteste ! Encore, elle me rajouterait du chocolat, mais même pas !

– À la campagne, on boit le lait comme ça, et on est tous costauds ! qu'elle dit. Costaud, elle ? Peut-être ; énorme, sûrement ! Enfin bon, tous les matins je me force et c'est vraiment mauvais. Heureusement qu'il y a les bonnes tartines beurrées avec du miel dessus. Là au moins, je me régale. Tata est partie faire son ménage. Papa et maman doivent rentrer ce soir. Peut-être que Grannie viendra me voir ? Je sais qu'elle a demandé à me garder chez elle plusieurs fois. Mais maman a toujours refusé.

– Laisser un de mes enfants à ta mère ? Mais tu n'y penses pas, Georges, elle n'a jamais su s'en occuper ! Je n'aurais pas confiance, tu vois, alors ça non ! Et puis elle en profiterait pour me démolir à leurs yeux. Parce que je sais très bien ce qu'elle pense de moi, ta mère, et permets-moi de te dire que ce n'est pas joli, joli. Alors lui laisser les enfants à cette vieille garce, pas question !

Comme toujours papa fuit lâchement. Il a assez de scènes comme ça. Après tout, les enfants, c'est le domaine des femmes. Pas celui des hommes. Alors qu'elles se débrouillent entre elles, il a bien assez à faire. Il plonge tête baissée dans son journal et disparaît ainsi pendant trois heures. Maman est victorieuse une fois encore. Elle sait qu'elle aura toujours le dernier mot. Ça lui rend le jeu plus facile. Parce qu'en fin de compte, elle sait, et lui aussi, que c'est un jeu. Ils jouent tous les deux, à se chamailler, à se détester, à s'étriper, mais dans le fond, c'est un jeu, ils s'aiment et ils se quitteront jamais. Mais ça, ils ne le reconnaîtront pas non plus.

En attendant, j'espère Grannie et je prie le bon Dieu et le petit Jésus et Marie et tous ceux que je connais pour qu'elle vienne me voir, pendant que je suis seule avec Tata. Parce que j'ai un gros cafard tout d'un coup et je me suis déjà arraché plusieurs poignées de mes cheveux.

❁

17

Je suis seule et je suis fatiguée. Normalement cette année je devrais être à l'école en train d'apprendre à lire, à écrire et à compter. J'aimerais bien. J'aurais plein de petits camarades. On jouerait à la récré, la maîtresse me donnerait des bons points si j'étais sage et que j'avais bien fait mon travail. J'aurais de bonnes notes même, je me connais, je suis consciencieuse, et puis j'aime bien apprendre.

Mais le docteur a fait des certificats médicaux, comme dit maman. Le docteur Pons, d'abord, puis après le docteur Parrot, Jacques de son prénom, un copain de maman, qui a fait un certificat longue durée comme il dit. Alors je n'irai pas à l'école cette année, parce que des certificats il en fait autant que maman lui demande.

– Elle est pas encore assez bien pour aller à l'école, vois-tu, explique-t-elle à Jacques.

Et là, elle a raison maman, je me sens pas assez forte pour y aller. Pourtant, c'est vraiment pas l'envie qui m'en manque. Des fois, j'en rêve la nuit, de l'école. En maternelle, l'année dernière, j'ai déjà appris à faire les lettres, à les lier, à lire les Be, les Ce, les O qui ressemblent à des soleils, tout ronds, tout beaux. Ils me plaisent les O, je leur mets deux gros yeux, un nez, une bouche et ils ressemblent à Tata. Alors je peux les gribouiller pour qu'ils ressemblent plus à rien. Ils deviennent très moches, et moi ça me fait rire, toute seule dans mon placard, je ris et je m'amuse dans ma tête, parce que j'ai complètement égratigné et détruit la tête O de Tata.

– Qu'est-ce que t'as à rire comme une folle ? fait Tata qui passe dans le couloir à ce moment-là. Ça va pas ? Déjà qu'elle est malade du corps, si en plus elle devient malade de la tête, c'est plus possible.

Et Tata s'en va en ronchonnant et en traînant les pieds sur le parquet qu'elle vient de cirer et qui brille comme un soleil de midi pour les amies que maman va recevoir cet après-midi à son bridge. Elles vont se recoiffer et se remaquiller dans le parquet ses amies ? Il brille tellement, faut le croire.

Moi je ris encore, mais tout bas cette fois, pour que Tata elle vienne pas. J'aime de plus en plus être tranquille et qu'on me fiche la paix. Moi, au moins, je m'engueule pas.

Demain Grannie doit venir me voir. J'ai entendu papa le dire à maman. Elle va m'apporter des livres et me lire des histoires. Elle m'apprend les mots quand je lui demande.

Je vais continuer à lui demander pour que je sois pas en retard à l'école quand je serai guérie. J'ai décidé ça. Je vais guérir très vite maintenant pour sortir du placard. Mais il faut que mes jambes me portent. Alors je vais attendre un peu. J'essaye de les bouger et de les agiter sur mon matelas. Elles me paraissent lourdes bien qu'elles ne soient pas plus grosses que le poignet de Tata, ni même que celui de maman qui a des poignets très fins.

– Tu as les attaches fines, tu es belle ma chérie, lui a dit papa l'autre dimanche quand ils sont sortis de leur chambre, le soir.

Des fois je me dis qu'ils vont y rester toute leur vie, dans leur chambre.

Les attaches, je sais pas ce que c'est, peut-être un trombone qui relie les membres, mais papa lui caressait le poignet en disant cela. Je l'ai vu dans l'ouverture du placard. La porte était entr'ouverte. C'est drôle, des fois il lui hurle dessus et des fois, il est comme un chat à ronronner et à se frotter contre elle.

Maman elle adore ça quand il ronronne. Elle le caresse, son gros chat, et elle lui fait des bisous.

C'est ça, je crois, qui me manque le plus. Les bisous. Y a que papa et Grannie, surtout Grannie, qui m'en font. Tommy aussi, bien sûr, mais c'est pas pareil !

Grannie, elle est venue cet après-midi. On a lu ensemble tous ces beaux livres colorés, et elle m'a appris plein de mots. Elle m'a aussi apporté des crayons et du papier, pour que je lui fasse de beaux dessins.

Et puis elle a touché mes joues.

– Tu es trop pâle Lolo, ça ne va pas du tout. Tu ne sors jamais, sous le prétexte que tu es malade ! Moi je dis, au contraire, qu'il faut te sortir pour que tu ailles mieux. Je vais venir te chercher le week-end prochain, et je t'emmène deux jours à la maison. Mais tu ne dis rien à personne, d'accord ? C'est un secret entre nous !

Je fais signe de la tête que non, je dirai rien, mais je sais pas comment elle va faire avec maman qui veut pas entendre parler d'elle. Ni de moi, d'ailleurs.

Et Grannie s'en va, après un gros câlin, en faisant – chut, chut, avec son doigt sur la bouche.

Je lui souris et la regarde partir. Et je regarde aussi Tommy :

– Tu crois toi, que je vais sortir ? Et comme toujours Tommy ne répond rien. Mais je crois qu'il a son idée.

❁

18

Grannie est revenue le lendemain. Maman était sortie. Tant mieux. Il n'y a pas eu de soupe à la grimace comme dit Grannie. Je me demande comment on la prépare. Ça doit pas être très bon. De toute façon, j'aime pas beaucoup la soupe. Tata met toujours du tapioca dedans, et je déteste tous ces petits yeux gluants qui me regardent comme pour m'accuser et qui glissent dans ma bouche en grumeaux dégoûtants qui me donnent envie de vomir une fois de plus.

Grannie est revenue avec les bras pleins de feutres cette fois, de toutes les couleurs ; d'albums à colorier, de livres à lire.

On a lu tout l'après-midi. Elle s'était renseignée auprès de Tata.

– Madame rentre quand ?

– Oh, pas avant dix-neuf heures, elle est partie en visite.

Grannie a glissé un billet dans la poche du tablier de Tata. Elle sait y faire, Grannie, avec elle. Tata lui a souri et lui a proposé d'une voix mielleuse :

– Vous voulez boire quelque chose ?

– Un peu de thé, s'il vous plaît. Et Tata est repartie à sa cuisine. C'est drôle comme Tata est capable de changer de voix. Elle en a plein dans sa boîte, sa boîte à voix. Je crois qu'elle se dit : – Laquelle je vais prendre ? en fonction de la personne qu'elle a devant elle. Alors elle en utilise une, comme ça, et elle l'adapte. Avec moi, c'est toujours une voix dure mais, avec les autres, ça dépend : douce, amusée, énervée, tendre parfois...

Grannie est revenue, et elle m'a appris des lettres, des mots, des couleurs, des signes. J'apprends vite avec elle. Elle est douce et patiente.

– Regarde Lolo, me dit-elle en me caressant les cheveux. Regarde ce « n », c'est comme un pont qui enjambe la rivière. Moi je regarde, et je suis partie dans le lit de la rivière. Je glisse dans l'eau, avec les cailloux, je nage avec les poissons, je bois avec les canards.

Je regarde le « n » et je m'évade de mon placard pour serpenter librement dans le soleil au milieu des champs.

Grannie me rappelle à la réalité :

– Oh, Lolo ! Tu es toujours là ? Avec moi ?

Non Grannie, excuse-moi, j'étais partie un moment loin, très loin, dehors, au soleil, ce soleil que je n'ai pas revu depuis si longtemps. Grannie me sourit tristement et semble comprendre mes pensées, même si je dis rien.

– Lolo, tu ne vas pas rester là, dans ce placard, toute ta vie, quand même ! Je sais bien que je n'ai pas mon mot à dire dans cette maison, mais il est temps de prendre le taureau par les cornes !

Je la regarde et je ne comprends pas très bien. Où y a-t-il un taureau ? Et en quoi le fait de l'attraper par les cornes m'aidera à m'évader ? J'imagine aussitôt Grannie tenant dans ses fines mains serrées les cornes d'une grosse bête noire soufflant des naseaux, comme je l'avais vu un jour dans un livre, et j'éclate de rire. Ça fait du bien. C'est pas souvent que j'ai l'occasion de rire. C'est contagieux, Grannie s'y met aussi et nous voilà toutes les deux à pouffer dans mon placard.

– Mon petit oiseau, me chuchote Grannie à l'oreille. Ce week-end tes parents partent avec

Charles à un mariage dans le Sud de la France. Ne dis rien. Je viendrai te chercher et je t'emmènerai chez moi pour deux jours. Ne crains rien. Tu seras revenue avant qu'ils rentrent.

Je la regarde, affolée. Elle osera faire une chose pareille ? C'est terrible ! Mais je reprends aussitôt confiance. Elle est forte ma Grannie ! Elle regarde sa montre.

– Je file ma puce, avant que ta mère ne rentre ! Alors c'est d'accord, samedi matin, et tu ne dis rien, surtout !

Je lève la main et je jure.

Bien sûr que je dirai rien. Et d'abord je parle à personne. Y a que Charles qui s'intéresse à moi, quelquefois, alors…

Grannie est partie et le placard est devenu tout noir et tout triste depuis son départ. Tommy me regarde d'un air désespéré. Il faut l'égayer. Je prends mes feutres de couleur et je dessine sur le mur, face à moi, des grands soleils jaunes, qui éclairent une jolie maison blanche avec des volets verts et un toit rouge.

J'ai dessiné des fleurs de toutes les couleurs et une grosse, très grosse Tata, plus grosse que la maison et avec des grandes dents de requin.

Je me pousse contre la cloison pour prendre un peu de recul et voir l'effet que ça produit.

C'est très beau, ça me plaît beaucoup. Je souris à mon dessin quand soudain Tata fait irruption avec mon plateau-dîner.

Elle aperçoit mes beaux dessins, pose le plateau et avant même que j'aie pu me protéger, abat sur ma joue sa main, à toute volée.

– Petite peste. Qu'é t'as encore fait, hein ? Rien que des conneries, toujours ? Va encore falloir que j'nettoie, c'est ça, hein ? Tu veux que j'te dise ? T'es une mauvaise, toi ! Toujours à m'faire des saloperies, rien que pour m'faire chi... !

Elle a pas un langage très poli Tata, et elle me secoue comme un prunier dont elle voudrait faire tomber les fruits. Peut-être qu'elle voudrait me faire tomber les bras pour que je fasse plus de beaux dessins sur le mur. Elle est tellement en rogne qu'elle a tous les cheveux en l'air et les joues en feu. Ses yeux sont devenus tout noirs. Elle ressemble à un ogre en colère. J'ai peur qu'elle me morde. Je me protège le visage de mes bras, je fonds en larmes et je me recroqueville toute petite sur mon lit.

– Arrête Tata, arrête ! J'ai juste voulu faire un beau dessin !

Mais Tata est déchaînée :

– Qu'est-ce que ta mère va dire encore, hein ? Pas possible, t'as le diable en toi. T'es à tuer !

Ça, elle me le dit tout le temps, que je suis à tuer. Des fois, je me dis qu'elle va finir par le faire et j'en ai presque envie. J'aurai la paix, une fois pour toute et elle, elle ira en prison. Et ce sera bien fait pour elle. Elle sera à son tour dans un placard, et pour le reste de sa vie.

En attendant, elle abat sa grosse main partout sur moi et elle s'acharne, le temps de vider sa colère.

Je ne suis plus qu'un petit paquet gémissant et hoquetant, tout recroquevillé sur le lit. Et puis, tout d'un coup, elle décide qu'elle en a assez.

– Puisque c'est comme ça, Lolo, tu mangeras pas. C'est bien fait. T'avais qu'à pas faire la conne !

Et elle remmène le plateau qu'elle avait déposé au pied de mon lit. Je dis rien, je peux pas, j'ai trop de sanglots dans ma gorge. Et je reste noyée dans mes larmes, la tête dans l'oreiller où je peux presque pas respirer, sous l'œil du croquemitaine qui se lèche les babines.

❁

Tout à coup j'entends des cris, des disputes.

Maman est rentrée en même temps que papa. Il a l'air très fâché. Il parle très fort, et la porte de l'entrée claque.

Maman va voir Tata à la cuisine. Sa voix est haut perchée, comme chaque fois qu'elle est en colère, et elle demande à Tata si les enfants ont été sages.

Tata répond que Charles est toujours un amour, voyez-vous, un petit ange Madame, c'est pas comme Lolo, qui sait pas quoi inventer pour lui rendre la vie impossible, et que c'est bien parce qu'elle aime tant Madame et Charles qu'elle reste, voyez-vous, parce qu'avec Lolo...

Elle en dit pas plus. J'ai compris. Maman débarque, rouge de fureur – à cause de moi ? de papa ? des deux ? – et elle me crie après.

– Lolo, t'as pas fini de nous enquiquiner l'existence, non ?! Même dans ton placard, tu arrives encore à nous la compliquer ! Tu ferais partir Antoinette à toi seule ! Fais bien attention, parce que si cela arrivait !... Tu crois que j'ai pas assez de soucis comme ça avec ton père ? À ton âge, tu devrais avoir honte ! Tu vas bientôt avoir sept ans quand même ! Évidemment si ta grand-mère ne t'apportait pas des feutres, mais celle-là...

Elle ne finit pas sa phrase. Elle crie si fort que j'en ai les jambes qui tremblent et le cœur qui veut s'échapper de ma poitrine, et mes oreilles qui sifflent. Je colle mes paumes contre mes oreilles pour les empêcher de siffler et je ferme les yeux. Je m'enferme au-dedans, comme je dis.

Mais maman n'aime pas ça du tout. Elle m'attrape le poignet, le détache de mon oreille, et me gifle violemment à son tour.

– Lolo ! Tu m'écoutes quand je te parle et tu me regardes !

Elle me prend le menton dans les mains pour le soulever vers son visage. Mais je garde les yeux fermés, j'ai trop peur.

Alors tout d'un coup elle me lâche, laisse la porte du placard ouverte et s'en va en se plaignant de la migraine qui démarre à cause de moi et qui va l'empêcher de dormir toute la nuit tellement elle souffrira.

Je tremble comme une feuille, de la tête aux pieds et me recroqueville sur mon petit lit. Tata est injuste, maman est injuste, le monde est injuste et je voudrais disparaître dans mon matelas.

❀

19

Papa, maman et Charles sont partis samedi matin très tôt au mariage d'une cousine. Ils s'étaient faits très beaux et Charles portait un beau costume, une cravate pour la circonstance et la raie sur le côté dans les cheveux.

Papa et maman sont venus me dire au revoir avant de partir. Charles m'a chuchoté en m'embrassant :

– Lolo, je te rapporterai du gâteau et des dragées, et il m'a fait un clin d'œil complice avec un petit sourire espiègle.

Puis ils sont partis, et maman a laissé flotter derrière elle son parfum que j'adore.

J'ai un odorat très développé et j'adore les odeurs. Odeurs de bougies, odeurs de parfums, odeurs d'encens. J'ai les narines grandes ouvertes, et j'inspire ces odeurs qui gonflent mes poumons et me font tourner un peu la tête. Mais ça me plaît et je passe des heures à respirer comme un petit chat.

Elle a remercié Tata de rester pour s'occuper de moi, et l'autre lui a grommelé quelque chose que je n'ai pas bien compris.

Et la porte a claqué. Je me suis retrouvée seule, comme toujours, et cette fois sans crayon et sans livre qu'on m'a confisqués à cause des dessins que j'avais faits. Tata a dit à maman qu'elle me les ferait nettoyer pour m'apprendre. M'apprendre quoi ? Elle vient en effet, peu de temps après leur départ, avec une bassine, une éponge et de l'eau chaude.

– Tiens, me dit-elle, tu vas voir si c'est facile ! Et je veux un mur tout propre !

Je me hisse sur mes cuisses tremblantes et je frotte le mur à genoux. La tête me tourne. Tata a mis dans l'eau un produit qui sent très fort. Je me pince le nez mais j'ai des papillons devant les yeux et je dois m'éponger le front qui est en sueur.

Ne pas flancher pour ne pas avoir une autre raclée. D'ailleurs j'ai adopté depuis quelque temps un nouveau réflexe : dès que Tata s'approche de moi, je lève les bras devant ma figure pour me protéger. Tata se moque de moi en disant que je suis une poltronne. J'ai pas tout compris, mais c'est vrai, j'ai peur d'elle et de toute façon, c'est sans le vouloir que je me protège. Un réflexe, c'est tout. En attendant, j'essaye de laver le mur et l'eau coule partout le long de mon bras, sur ma poitrine et sur les draps de mon lit. Je suis épuisée et je halète. Et puis on sonne à la porte et j'entends cette fois la voix de Grannie, et puis une voix d'homme.

Ils partent tous dans la cuisine et là, je peux tout comprendre.

– Tata, je vous présente mon petit cousin Henri qui m'a accompagnée. Nous venons chercher Lolo. Il va la porter jusqu'à la voiture. Il l'emmène en week-end dans ma maison de campagne. Le grand air va lui faire du bien, j'en suis sûre ! Rester enfermée dans un cagibi toute la journée, c'est pas sain pour elle. Même si elle ne peut pas bouger et qu'elle est encore malade et faible, c'est pas sain pour elle, répète-t-elle, non vraiment pas !

– Mais Madame m'a dit de garder la gamine, objecte Tata derrière la cloison. Je peux pas vous la laisser. J'ai promis.

– Tenez, Tata, c'est un petit cadeau pour vous, répond Grannie. Et là je sais qu'elle lui fourre un gros billet dans les mains. Toujours en train de donner des sous à tout le monde. À Charles, à Tata et même à moi qui ne peux rien en faire. Mais je remercie et je prends quand même. J'ai trouvé une cachette dans mon sommier et je garde soigneusement cet argent pour plus tard. Pour quand ?

Et Grannie ajoute pour convaincre Tata :

– Et puis vous, ça vous fera un week-end de libre. Vous ferez ce que vous voudrez et vous irez voir qui vous voulez. Ce n'est pas tous les jours que ça vous arrive, non ?

Ça, ça l'a convaincue Tata. Elle a sauté sur l'occasion et a fini par céder :

– Faudra rev'nir avant qu'y rentrent. Revenez le dimanche en début d'après-midi. Y s'ront là qu'pour dîner. Et faudra jamais qu'y sachent.

J'ai entendu Grannie lui répondre :

– Vous pensez bien que ce n'est ni Lolo ni moi qui les mettrons au courant, et là elles se sont mises à rire toutes les deux.

Et puis Grannie est venue, elle m'a embrassée, m'a chuchoté des mots doux à l'oreille et m'a présenté Henri. Un grand garçon costaud, plus jeune que papa, plus vieux que Charles. Peut-être trente ans ?

Il m'a prise dans ses bras et m'a sortie de mon placard. Et Grannie m'a habillée. Elle a pris mes affaires de toilette, deux ou trois choses et ils m'ont emmenée comme des voleurs qui kidnappent une fillette, sous l'œil de Tata qui disait plus rien du tout et qui faisait celle qui voyait pas.

On a bien ri en sortant de l'appartement. Ça faisait des mois que je n'étais pas sortie de mon placard.

❁

20

On est partis à la campagne, dans la maison de week-end de Grannie comme dit Henri. Une grande maison avec un perron, des grands volets blancs qui l'éclairent comme un sourire heureux et des arbres immenses tout autour pour la protéger.

Jules, le vieux serviteur de Grannie, nous attendait. C'est le gardien, l'homme à tout faire et de confiance de Grannie à la fois.

Il nous a suivis jusqu'au divan dans le petit salon où Henri m'a déposée aussi délicatement qu'un oiseau tombé du nid. Puis, il est parti chercher du bois pour faire un bon feu dans la cheminée.

– On t'emmènera faire un tour dans la carriole tout à l'heure, m'explique Grannie. Mais avant tout, il te faut un bon repas.

La nourriture est un souci essentiel pour elle. Elle n'est heureuse que lorsque les gens mangent. C'est une grand-mère nourricière. Heureusement, elle sait que je n'ai pas d'appétit et qu'il ne faut pas me forcer. Alors elle me force pas. Et comme elle sait que je n'aime pas la viande, elle a commandé de la lotte pour moi – c'est ce qu'elle m'a dit en tout cas – et j'en suis heureuse, parce que moi j'adore ça.

Je renifle les odeurs qui rampent de la cuisine jusqu'à mes narines et je me sens revivre.

Il fait bon, il fait chaud dans le grand salon de Grannie ! Le soleil joue à cache-cache à travers les rideaux et parfois un rayon vient me caresser la joue. Je mastique consciencieusement une sucette à la framboise en attendant le déjeuner – il y avait si longtemps que je n'en avais pas eu que je ne m'en rappelais plus le goût – et j'écoute la jolie musique qui s'échappe de la chaîne de Grannie en regardant pensivement monter les flammes dans la cheminée. Elles ont l'air vivantes ces flammes, plus vivantes que les fantômes de mon placard, elles m'attirent soudain et je ne peux plus en détacher le regard.

Les flammes dansent au rythme de la mélodie, se tordent et se dispersent en langues de feu. Et toutes ces langues s'agitent, font craquer le bois, et répandent une bonne odeur de chêne dans la pièce.

Je suis fascinée par ces flammes vertes, bleues, jaunes où je crois voir danser des sorcières et des nains, comme dans la cheminée de Blanche Neige. Pourtant ce n'est pas la vilaine sorcière qui m'apporte la pomme, mais la fée, ma grand-mère, qui dépose devant moi un plateau rempli de toutes les bonnes choses que j'aime : de la lotte, du coca, du camembert, du chocolat... et mon cauchemar se transforme soudain en un joli conte.

J'ose à peine toucher à mes plats de peur de les voir disparaître. Et si tout cela n'était qu'un rêve ?

Après le déjeuner Grannie essaye de me faire tenir debout, avec l'aide de Jules qui s'est mis derrière moi en tendant ses bras sous mes aisselles. Mais malgré mes efforts, rien à faire. Mes jambes tremblent beaucoup trop et puis elles sont si molles !

– Lolo, me dit Grannie d'un ton grave, tu sais qu'à force de rester dans ton placard sans bouger tu finiras par ne plus jamais pouvoir marcher…

J'ai pas le temps d'attendre la suite que j'éclate en sanglots. Je m'en doutais un peu, mais j'y peux rien si mes jambes me portent plus. Et puis on me sort jamais de mon placard, moi !

Grannie tire de sa poche un joli mouchoir tout fin et tout léger et éponge mes larmes.

– Arrête Lolo, je ne te dis pas ça pour te faire de la peine. Simplement tu dois essayer tous les jours de te mettre debout et de marcher. Sinon tu vas perdre tous tes muscles.

Je renifle à petits coups, comme pour ravaler ma peine et j'essaye d'arrêter le flot de larmes qui me secoue la gorge et la poitrine. Je sais bien tout ce que Grannie me dit, mais tant qu'on me laisse enfermée, comment faire sans l'aide de personne ? Ce n'est ni Tata, ni maman qui vont m'aider, ça c'est sûr !

– Lolo, tu peux peut-être essayer tous les jours un petit peu plus toute seule ? suggère Henri qui est tout ému de me voir comme ça.

Je hoche la tête pour faire oui, parce qu'aucun son ne peut plus sortir de ma gorge.

Grannie m'assied sur ses genoux et m'entoure de ses bras. Et là, je refonds en larmes. Il n'y a rien à faire. La gentillesse me fait pleurer tellement ça m'attendrit. C'est parce que je n'ai pas l'habitude, sûrement.

– Écoute Lolo, je vais essayer de demander ta garde. Mais ça ne va pas être facile. Ta mère va refuser, c'est sûr, elle me déteste. Ton père n'osera pas la contrarier. Mais peut-être que Tata plaidera en ma faveur pour ne plus avoir à s'occuper de toi. En tout cas, je suis résolue et j'irai très loin s'il le faut. Je ne peux pas continuer à te laisser comme ça.

Je fais encore oui de la tête, ferme les yeux et me blottis bien au chaud contre sa poitrine. C'est si bon de se sentir aimée.

❀

Le bonheur ! Je ne savais plus comment c'était et ce que cela voulait dire. Maintenant je l'ai redécouvert. C'est se promener en carriole avec des gens qu'on aime et qui vous regarde avec tendresse. C'est une main dans les cheveux, un doigt qui caresse la joue, une sucette qui se tend, un sourire dans les yeux.

Deux jours de bonheur à n'en plus pouvoir, à enfouir toute sa vie au fond de soi, comme un cadeau si précieux qu'on ne voudra jamais se faire voler.

On a ri, on a chanté, je suis allée en carriole, tirée par l'âne Rafi, sous les grands châtaigniers et Henri a ramassé une châtaigne qu'il a creusée pour m'en faire une pipe.

Le chat de Grannie est venu ronronner dans mon cou et me faire un câlin. J'osais à peine respirer. J'avais tellement peur que tout s'arrête d'un coup. J'ai toujours rêvé d'avoir un petit chat mais maman a refusé :

– Pour avoir des poils partout, merci bien, elle a dit. Et puis ça miaule tout le temps ces animaux-là !

Pourtant il me tiendrait bien compagnie dans mon placard lui, Gribouille, le chat de Grannie, à dormir contre moi, à côté de Tommy qui serait sûrement un peu jaloux de me partager. J'ai bien vu déjà dans son œil bleu qui s'était durci, qu'il aimait pas Gribouille.

Mais Gribouille a fait comme s'il ne le voyait pas. Et il s'est lové contre moi, en rond dans mon cou, pour dormir.

J'ai pris Tommy dans mes bras pour lui montrer que je l'aimais encore. Il n'a rien dit. Et avec tout mon monde, j'ai dormi comme jamais et je suis partie au pays des fées dans un joli petit lit en pin, dont les draps sentaient bon la lavande.

21

Le lendemain c'était dimanche. Il y avait un beau soleil dans les arbres et le ciel était tout bleu, mais j'avais déjà le cœur gris parce que je savais que Grannie me ramènerait en début d'après-midi.

J'aurais voulu être aussi gaie que la veille et j'ai essayé de faire semblant mais ça n'a pas pris et tout le monde s'en est aperçu. Même Gribouille qui ne voulait plus me lâcher. Grannie m'a quand même emmenée au marché où il y a plein de monde qui fait de la réclame pour sa camelote, et elle m'a acheté une poupée toute neuve avec plein d'habits et de nouveaux livres. Mais j'ai peur de les emmener et qu'on me questionne. Grannie m'a dit de répondre qu'elle était juste passée me voir. Il faudra que je fasse attention parce que je n'aime pas mentir et que je deviens toute rouge quand je le fais.

On est rentrés tôt et comme on est partis. Sur la pointe des pieds, comme des voleurs. Tata nous attendait derrière la porte. Elle avait peur qu'on soit en retard et que Madame découvre ma fugue, comme elle a dit.

Mais ouf, tout s'est bien passé. Henri m'a redéposée dans mon placard, Grannie est restée encore un moment et puis elle m'a raconté une histoire et a disparu. Je suis restée seule avec Tata qui avait sa tête des mauvais jours à cause qu'on l'avait inquiétée.

Quand elle m'a vue dans mon placard avec tous mes nouveaux jouets, elle les a raflés en me disant :

– T'as bien trop de choses, Lolo. J'vais pu pouvoir faire le lit et tu sauras pu où t'mettre. J'te les prends, et j'te les rendrai quand ta grand-mère reviendra ; comme ça elle pourra pas dire que j'te prive.

Et elle ajoute encore une fois :

– Et si tu dis l'contraire, j'dirai qu't'as menti.

Alors je dis plus jamais rien maintenant tellement j'ai peur de dire des mensonges.

Et là, elle me prend tous les nouveaux jouets que je viens de recevoir, et je pleure à nouveau. C'est trop injuste. Pourquoi ? Ai-je mérité autant d'injustice ?

– Arrête de chialer, Lolo, ça me porte sur les nerfs !

Et Tata s'en va en claquant la porte du réduit.

Tommy est tombé sur moi pour me consoler. Heureusement, lui, il a sa place à côté de moi. C'est bizarre, mais Tata n'a jamais eu l'idée de me l'enlever. Peut-être qu'il est trop moche ?

Je me suis endormie et des voix dans le couloir m'ont réveillée. J'ai entendu maman qui demandait :

– Ça s'est bien passé, Tata ? Pas d'ennui avec la petite ? Elle a été sage au moins ?

J'ai entendu Tata grommeler :

– Pas de problème.

Et maman tout de suite après :

– Tenez, c'est pour vous. Pour vous remercier de tout ce que vous faites.

Sûr que maman a dû lui faire un cadeau. Elle touche de tous les côtés, Tata, elle est pas bête et quand elle en aura assez, elle se tirera vite fait. Je le sais, je l'ai entendue le dire au téléphone.

J'espère maman ou papa, ou Charles près de moi. C'est Charles qui vient enfin, avec des bonbons plein ses poches.

– Tiens Lolo, je les ai cachés pour toi.

J'en enfourne aussitôt quatre dans ma bouche, c'est trop, je manque de m'étouffer et Charles pouffe dans ses mains.

J'ai très mal dormi et j'ai repensé à tout ce qui s'était passé : le voyage, la campagne, Grannie qui veut me prendre chez elle et qui me dit de m'entraîner à me remettre debout. J'ai rêvé d'un géant qui posait une énorme main sur ma tête pour m'empêcher de me relever. Son poids était terrible. Je me suis réveillée avec la migraine, comme dit maman. Je me raisonne :

– Lolo, essaye de te lever, fais un effort.

Je m'agrippe au mur, et je me mets à genoux en tremblant. J'ai du mal et le souffle court. J'essaye de poser un pied sur le matelas et je me soulève tout doucement. Mais je n'ai pas assez de forces et je retombe aussitôt. Heureusement le matelas amortit le choc. Je reprends souffle et je recommence. Dix fois, vingt fois et à chaque fois je tombe. Mais cette fois, j'ai compris. Il faut que je mange et que je m'entraîne tous les jours. C'est le seul moyen d'échapper au placard.

22

Grannie est revenue cet après-midi. Elle est passée très vite me voir dans mon placard et il n'y avait pas deux minutes qu'elle était avec moi, que la porte d'entrée a claqué. J'ai cru que c'était maman et j'ai eu peur pour elle. Mais Grannie m'a souri étrangement, a posé un doigt sur sa bouche, et est vite sortie retrouver l'arrivant. J'ai entendu la voix de papa dans le couloir.

– Tu es là depuis longtemps maman ?

– Non, deux minutes à peine. Ta femme ne va pas débarquer, au moins ?

J'ai souri. On aurait dit une des maîtresses de papa.

Il a soupiré :

– Elle est à son bridge. Rien d'autre à faire dans la vie, celle-là !

Grannie n'a pas fait de commentaire mais elle a dit :

– Alors, comme je te l'ai expliqué au téléphone, je suis prête à prendre la charge de Lolo. Je veux l'emmener avec moi et l'aider à guérir. Personne ne s'occupe vraiment d'elle ici !

Papa n'a rien dit, mais je l'ai bien imaginé en train de baisser la tête comme un enfant grondé.

Avec Grannie il prend toujours un air coupable.

– Laisse-moi l'emmener et fais-moi une lettre pour me donner ton accord.

– Je ne peux pas, Rose ne voudra jamais ! Elle aussi a son mot à dire, c'est sa fille après tout !

– Oh, si peu !

Alors là, papa s'est quand même un peu fâché :

– Tu n'as pas le droit de dire ça ! Elle l'aime, même si elle ne s'en occupe pas beaucoup. Tu ne peux pas la lui prendre comme ça !

J'imagine papa, essayant de défendre maman devant Grannie qui lui a toujours reproché son mariage. Il la défend pour justifier son choix.

– Écoute Georges, je ferai tout ce qui est en mon pouvoir pour m'occuper moi-même de Lolo. Si tu ne veux pas m'aider, tant pis, je me passerai de ton aide. Mais au moins ne me mets pas des bâtons dans les roues !

Je n'ai pas entendu la réponse de papa. Il y a eu un long silence, puis Grannie et lui se sont mis à rire et j'ai pensé qu'ils n'étaient pas fâchés. J'ai toujours peur d'être un sujet de dispute. Ça arrive entre papa et maman et j'aime pas ça.

Et puis Grannie est revenue me faire un gros câlin et elle est repartie très vite après m'avoir chuchoté à l'oreille :

– Je reviendrai Lolo, je reviendrai te chercher mais, chut, c'est un secret.

J'ai fait oui de la tête, elle m'a embrassée et elle a filé très vite.

Je suis fatiguée, je ferme les yeux et je rêve de mon départ chez Grannie.

❀

23

Grannie est repartie aussi discrètement qu'elle était venue. C'est au tour de papa d'ouvrir la porte de mon placard.

Gentiment, il s'assied sur le rebord de mon lit, se penche vers moi et m'attire dans ses bras.

– Tu veux partir Lolo ? Tu veux allez vivre chez ta grand-mère ? Tu veux m'abandonner ?

Je reste silencieuse, les paupières baissées. Je ne sais quoi répondre. Et si c'était un piège ?

Papa commence à m'embrasser dans le cou et à caresser mon torse de ses grosses mains qu'il glisse sous ma chemise de nuit. Je sens tout mon corps trembler, sans comprendre vraiment pourquoi. Peut-être que j'ai pas assez l'habitude d'être caressée ?

– Je tiens trop à toi, tu sais ? Je t'aime, moi, même si je ne sais pas te le dire. Tu ne vas pas nous quitter Lolo, dis ?

Je garde les lèvres serrées, et les yeux fermés. La main de papa se fait chaude et caressante. Elle masse mes côtes, mon petit corps tout maigre, mes épaules pointues.

– Mais t'as que la peau sur les os ! s'étonne soudain papa. Il avait jamais réalisé. Va falloir te nourrir plus, tu sais, continue-t-il.

Moi, j'aime pas ses caresses, parce que je sais que maman va encore crier si elle me voit faire un câlin.

J'essaye de me détourner et d'échapper à son étreinte, mais ses bras corpulents me retiennent prisonnière.

J'étouffe, je deviens toute rouge.

– Papa, laisse-moi, s'il te plaît !

Mon cri a jailli avant même que j'en prenne conscience.

Et tout à coup la porte s'ouvre en grand, brutalement, laissant entrer une lumière vive qui m'aveugle aussitôt. Je porte instinctivement mon bras contre mon visage, comme pour me protéger des coups.

Dans l'encadrement du placard maman est là, blanche comme la neige et qui me regarde et regarde papa. Soudain ses yeux sont noirs de haine.

– Georges ! Laisse-la ! Tout de suite ! Encore

en train de faire tes cochonneries, et avec ta fille cette fois ! Foutue gamine, elle a dû tenter de t'amadouer ! Quelle femelle elle va faire quand elle sera grande !

Papa sursaute et cache ses mains dans ses poches.

– Mais pas du tout Rose, tu te trompes… commence papa.

Mais maman l'interrompt sèchement :

– Sors ! Sors immédiatement de ce placard, espèce de vieux vicieux, obsédé sexuel ! Et que je ne t'y reprenne plus à rôder autour d'elle !

Papa se lève et baisse la tête en passant devant maman, évitant soigneusement son regard.

Il disparaît dans le couloir. Maman a des pistolets dans les yeux. Elle me regarde méchamment, m'accuse en criant très fort :

– Et toi Lolo, que je ne t'y reprenne plus à te serrer contre lui, à moitié nue ! C'est dégoûtant, à ton âge !

Et maman s'en va, l'air mauvais, en claquant des talons.

J'ai rien compris. Je sais seulement que papa n'a pas le droit de me faire des câlins. Je lui avais pas demandé, d'ailleurs. C'est sûrement de ma faute, après tout, mais je ne l'ai pas fait exprès ; pourtant, comme dit Tata, faut qu'j'apprenne à faire exprès de ne pas faire exprès…

❁

24

Il y a eu des cris aujourd'hui encore. Cela fait combien de temps que je suis revenue de chez Grannie ? Une semaine ? Un mois ? Je ne sais pas, mais j'ai tenu parole. Je me suis entraînée tous les jours en cachette et je tiens maintenant debout contre le mur en comptant jusqu'à dix. Il y a du progrès, mais je n'ai rien dit à personne. Je le cache soigneusement parce que je suis pas sûre qu'ils seraient très contents.

Les cris, c'est papa et maman comme tous les jours. Sauf qu'aujourd'hui j'ai entendu papa prononcer le mot faillite. Je sais pas très bien ce que ça veut dire, mais maman a hurlé :

– Alors tu n'as plus de travail, plus d'argent ?! Et qu'est-ce que je vais devenir, moi ?

Et là, ils se sont mis à crier très fort.

– Toi, toi, toujours toi, tu ne penses qu'à toi ! On va réduire notre train de vie, et pour commencer tu vas t'occuper toi-même de la maison et des enfants. Ça ne te fera pas de mal !

– Me séparer d'Antoinette ? Mais tu n'y penses pas ! Non, jamais, j'aimerais mieux m'en aller !

– C'est ça, va-t'en, la porte est grande ouverte. Fous le camp une fois pour toutes et fous-nous la paix !

Ça criait très très fort dans le couloir. Mon cœur s'est mis à battre aussi fort que les cris. J'osais plus respirer. Je me suis caché la tête sous l'oreiller pour ne plus entendre ni les cris, ni les pleurs de Charles. Papa a donné une gifle à maman. Ça, je l'ai entendu. Je voudrais mourir. Pourquoi le monde, les gens, mes parents, sont-ils si horribles ?!

Mais je ne vais pas mourir. J'ai fait la promesse à Grannie de me rétablir pour aller vivre chez elle. Quand est-ce qu'elle va venir me chercher ?

❀

Elle est revenue. Toute fraîche, souriante, avec son parfum qui sent bon le muguet.

Je tiens debout contre le mur jusqu'à cent maintenant. Et puis je pédale aussi sur le dos.

Je me sens très fière de moi et j'ai envie de continuer.

Grannie est venue parce que j'ai sept ans aujourd'hui. Je crois qu'ils avaient tous un peu oublié à la maison, mais Grannie est arrivée avec son appareil photo, un gros gâteau au chocolat comme je les aime, des bougies et des cadeaux. Du coup, tous les autres se sont crus obligés de venir me le fêter dans mon placard.

Maman m'a déposé un baiser machinal sur le front en disant :

– J'ai aussi quelque chose pour toi mais je te le donnerai plus tard, ce n'est pas encore prêt.

Je sais bien qu'elle a fait semblant et qu'elle n'avait rien acheté, mais j'ai souri et j'ai joué le jeu. J'ai décidé d'être plus maligne qu'eux. D'ailleurs, depuis que je reprends des forces, je pleure moins. J'ai décidé de m'endurcir. Si je veux sortir du placard je dois changer, et sept ans, c'est un changement. L'âge de raison, ils ont dit. Je vais être raisonnable.

Tata n'est pas venue. Papa m'a serrée dans ses bras, très vite et pas trop, il a compris maintenant, et moi je suis pas du tout à l'aise ; Charles m'a glissé un carambar dans la main.

J'ai soufflé les bougies, Grannie a fait des photos, plein de photos et ils sont tous repartis,

Grannie aussi. Elle devait parler à maman cette fois et, comme d'habitude, j'ai tout entendu.

– Je voudrais prendre Lolo en pension quelque temps chez moi, à la campagne, le temps de lui refaire une santé, quoi !

Papa, comme convenu, n'a rien dit mais maman a tout de suite sorti ses griffes :

– Vous voulez me voler mon enfant ? C'est bien ça, hein ? Vous vous rendez compte de ce que vous me dites ? Me prendre MA Lolo ? Jamais, vous m'entendez bien ? Jamais ! Pour qu'elle soit pourrie, gâtée par vous et qu'elle revienne pleine de sales manies et de sales habitudes ? Et vous penseriez quoi de moi si je m'en déchargeais ?

Grannie s'est bien gardée de dire ce qu'elle en penserait. Elle s'est contentée de répondre d'une voix étonnée :

– Quelles manies, quelles habitudes ?

Je sentais bien qu'elle faisait attention à ne pas se fâcher.

– C'est vrai, ça, chérie, à quoi fais-tu allusion ? a questionné papa à son tour.

– Tu sais très bien que ta mère n'a jamais su s'occuper des enfants. La preuve, tu as été en nourrice et en pension dès ton plus jeune âge. Cette discussion n'a aucun sens !

Là, Grannie a été touchée dans son amour-propre.

– Je vous préviens, ma chère belle-fille, que si vous vous y opposez, je ferai constater l'état de santé de Lolo et le placard où elle habite, et le manque de soins de votre part ! Il y a des lois pour cela ! Je demanderai sa garde définitive !

– Ah oui ? Eh bien essayez donc, chère belle-mère, essayez un peu ! J'ai des certificats médicaux prouvant que Lolo a besoin de beaucoup de repos. Elle doit rester au lit. Je suis sa mère, je me battrai, mais vous ne l'aurez jamais, vous m'entendez ? Jamais ! Et puisque c'est comme ça, sortez, sortez immédiatement de chez moi !

Je n'ai pas entendu papa, mais comme d'habitude maman a eu le dessus. J'ai simplement entendu la porte claquer et puis le silence est revenu. Terrible. Je crois que je préférais encore les cris. Qu'est-ce que je vais devenir ?

❀

25

Les jours passent. Mes ongles s'enfoncent dans le papier peint de mon placard, mais moins profondément qu'avant. Mes jambes me soutiennent plus longtemps. Je n'ose pas encore marcher, faire quelques pas, mais je les sens qui tremblent moins. C'est un peu comme deux animaux qui se laissent apprivoiser.

Tous les jours je m'entraîne, en cachette. C'est dur, je transpire à grosses gouttes, je fais des efforts terribles, mais je m'y tiens. J'y arriverai, j'ai un but maintenant.

Les jours se suivent. Papa, maman et Charles ont décidé d'aller au ski, à la montagne. Tata me gardera, comme d'habitude.

Je n'ai rien dit. Je m'en fiche. Je n'ai plus qu'une idée en tête : remarcher...

Aujourd'hui Grannie est revenue avec Henri et son appareil photo. Elle en a fait plein de moi dans le placard, en chemise de nuit et avec Tommy. Après elle a rangé son appareil dans son sac et elle a donné des sous à Tata en l'envoyant faire des courses. Mais, dès que Tata est partie, Henri sort et revient avec une petite valise.

– Vite Lolo, dis-moi où sont tes affaires ? On t'embarque.

Je regarde Grannie inquiète. Où, on m'embarque où ?

– Écoute Lolo, je te kidnappe sinon tu ne t'en sortiras jamais. Est-ce que tu es d'accord ? Je te cache à la campagne, on dit rien à personne. Et, s'ils veulent te récupérer, je me battrai. Mais j'ai besoin de ton accord. Je ne veux pas te forcer.

J'essaye de la détailler. Elle a un beau visage où quelques rides apportent de la douceur à ses yeux mauves. Des yeux déterminés et tranquilles. Je n'hésite pas longtemps. Elle m'a toujours aimée, toujours aidée. Je fais mes prières tous les matins et tous les soirs. C'est Dieu qui me l'envoie. Je lui tends les bras et je crie presque :

– Oui Grannie, emmène-moi, emmène-moi avec toi, s'il te plaît !

❀

On est partis encore une fois comme des voleurs. Moi dans les bras d'Henri, ma valise dans ceux de Grannie. On est partis vite, vite, en claquant la porte et en laissant un petit mot et un gros billet à Tata.

J'ai quand même très peur, mais je fais confiance à Grannie et je ne veux surtout pas penser à la suite. Je sais que je serai bien là où elle m'emmène.

Mais ce n'est pas dans sa campagne à elle. Elle me cache chez une de ses cousines dans le midi. L'air est parfumé de mimosas. J'aime cette odeur.

❀

Grannie, Tantine (la cousine de Grannie), comme je l'appelle et Henri s'occupent de moi. Et Gribouille aussi, le chat de Grannie, qu'elle a tenu à emmener pour moi. J'ai une chambre toute jaune, comme les tournesols qui poussent dans les prés, comme les soleils de mes dessins sur les murs. Une chambre où la lumière entre à flots.

Le docteur est venu me voir et il a passé longtemps à me regarder, partout. Grannie ne lui a rien caché : ma maladie, mon placard, mes jambes toutes molles.

Il n'a rien dit, mais un pli a barré son front et puis il est sorti avec Grannie dans le jardin, pour pas que j'entende ce qu'il se disaient. J'ai rien su mais ils sont restés longtemps dehors, ensemble.

Et depuis je prends des médicaments, des vitamines, du fer et le kiné de la ville voisine vient tous les jours me faire faire des exercices.

Je m'applique, je tire la langue, fronce les sourcils, mais je tiens bon, je fais des progrès et je sens que mes forces reviennent. Je sors debout pour la première fois avec un déambulateur, comme ils disent, et sur lequel je m'appuie. J'arrive à faire quelques pas. Mes joues sont plus roses, mes jambes plus fermes. J'ai grossi. Grannie est heureuse et inquiète à la fois.

Elle savoure ma convalescence, elle sait qu'elle m'a sauvée, mais elle se prépare aussi à la bataille pour me garder. Grannie aime me voir ainsi. Je mange des fruits, des légumes frais et elle me fait l'école tous les matins pendant quatre heures – pas plus dans la journée, pour pas trop me fatiguer, dit-elle – avec les livres de Toto.

Ce sont des livres de son enfance, avec des dessins tout simples, mais qui m'apprennent la grammaire, la lecture, l'écriture et même le calcul.

Toto achète des tomates et des salades qu'il paye mais il en soustrait le prix des citrons. C'est compliqué mais j'aime toute cette cuisine et j'ai hâte de marcher pour aider Grannie à faire ses confitures de cerises qui sentent bon dans toute la maison.

J'ai oublié Tata, papa, maman et même Charles qui, malgré tout, me manque un peu par moments. Mais si peu. Je me sens revivre…

❁

Grannie a constitué tout un dossier avec l'aide du médecin et du kiné qui ont attesté de mon état, m'a-t-elle expliqué.

– Mauvais soins, mauvais traitement, manque total d'intérêt pour sa guérison.

D'après eux j'aurais fini par mourir.

Ce sont ses armes de bataille à Grannie, son sabre et son épée pour se battre contre papa et maman.

On se cache toujours comme des voleurs mais elle a très peur au fond d'elle.

– Jamais, tu m'entends Lolo, jamais je ne permettrai qu'ils te reprennent à moi. Plutôt mourir !

Moi je ne veux pas que Grannie meure et je me mets à pleurer, comme d'hab quoi ! Grannie me serre fort contre elle, à m'en étouffer.

– Pleure pas Lolo, je disais ça comme ça. Mais je t'aime trop, mon poussin, pour accepter qu'on te fasse du mal.

Je me mouche dans son épaule, c'est trop bon l'amour, ça me rend toute molle à l'intérieur.

❁

Aujourd'hui on a bu du cidre sous la tonnelle, au soleil. Il avait un goût de vacances, d'école buissonnière. Jour après jour je les redécouvre, tous ces goûts, et aussi les couleurs, les odeurs.

Des abeilles bourdonnaient dans les feuilles des vignes, les raisins bien mûrs explosaient sous mes dents, j'en avais plein la bouche et ça me faisait rire. Oh, rire, il y a si longtemps que je n'avais pas ri comme ça ! On a fêté mon retour à la vie et j'étais un peu pompette.

Je marche avec des béquilles maintenant et chaque jour je me sens mieux. Le kiné a dit que bientôt je pourrai me passer d'elles.

J'ai tellement envie de courir, attraper des papillons, sauter au-dessus du ruisseau, faire des galipettes dans le pré.

J'aimerais bien aller à l'école, pour avoir des amies de mon âge avec qui jouer, mais je dois attendre encore. C'est trop tôt et trop risqué. Il faut me cacher. Grannie a fait une demande pour me garder. Papa et maman se battront eux aussi, ça va être dur. Est-ce qu'on me demandera mon avis ?

❀

Coup de tonnerre ! Grannie a sa tête des mauvais jours et Henri aussi.

Tantine et eux ont aperçu un homme rôder autour de la maison et qui a pris des photos de la propriété et des voitures. Il s'est même approché de la fenêtre du salon où je lisais tranquillement avant de s'enfuir quand Henri a crié après lui.

À présent, Grannie, Tantine et Henri font un conciliabule. J'ai entendu le mot de détective.

– On ne va pas fuir longtemps comme ça ! a déclaré Grannie. C'est une situation invivable ! Pour elle comme pour nous. Ils veulent la guerre ? Ils l'auront ! Je vais mettre les services sociaux sur leur dos. Je vais demander unc enquête ! Je vais faire parler les voisins, et Tata aussi si je lui donne de l'argent. Je suis prête à me battre, ils ne me font pas peur !

Grannie serre les poings et les dents. Je la sens très fâchée et j'ai envie de disparaître sous terre. Grannie, je ne veux pas qu'elle ait des ennuis à cause de moi.

Le lendemain, coup de téléphone ! C'est papa qui, grâce au détective privé, a retrouvé la trace de Grannie. Comme Tantine n'est pas sur la liste rouge... !

D'après ce que j'ai entendu et compris, maman exige que Grannie me ramène tout de suite.

– Non, jamais, mais comprends, enfin, Georges, dit Grannie, elle est mieux chez moi ! Tu ne veux pas qu'elle guérisse ?

J'ai pas entendu la réponse de papa mais Grannie s'est énervée soudain :

– Tu as réussi à faire patienter ta femme tout ce temps pour éviter à tout prix le scandale dans la famille ? Tu m'as retrouvée parce qu'elle savait que c'était moi, dis-tu ? Mais tu ne pourras plus l'empêcher de porter plainte si je refuse de la lui rendre ? Eh bien, qu'elle le fasse ! Qu'elle aille trouver la police, elle ne me fait pas peur, Ta femme, elle ne m'a jamais fait peur, d'ailleurs ! Alors ce n'est pas aujourd'hui... ! Si tu ne m'aides pas à la garder, Georges, je dirai tout, j'ai des témoins, des photos, des preuves. Fais attention, parce que toute cette histoire risque de très mal tourner pour vous !

Alors papa s'est mis à crier si fort dans le téléphone, que j'ai tout entendu. Il devait être tout rouge, comme quand il crie après maman.

– Là, tu vas trop loin ! Et de toutes façons on ne te croira pas ! Nous aussi on a des certificats de médecins pour prouver son état de santé, nous aussi on a des témoins. Elle n'a aucune trace de coups, on l'a toujours bien nourrie ; elle était simplement alitée ! On ne peut rien nous reprocher ! C'est pas comme pour toi ! Ce que tu as fait, maman, ça s'appelle enlèvement, du rapt d'enfant. Tu sais où ça peut te conduire ? En prison, alors fais gaffe ! Rose ira jusqu'au bout cette fois, tu sais ? Je n'ai pas souvent été d'accord avec elle mais, aujourd'hui...

Grannie l'a coupé aussitôt :

– Aujourd'hui, c'est une question de survie ! Tu ferais bien d'y réfléchir !

Et elle lui a raccroché au nez brusquement. Et sa main tremblait très fort.

❁

26

Grannie n'a pas voulu déménager. Elle est prête, dit-elle. Elle ne parle plus de cette histoire et continue à s'occuper de moi comme si tout était normal.

Mais dès le lendemain matin, Henri entend sonner à la porte. Il est midi. Henri va ouvrir. Deux policiers sont là. Un monsieur les accompagne, qui dit être médecin.

– La B.P.M. (Brigade de Protection des Mineurs) a reçu une plainte à Paris de la part des parents d'une petite Laurence Duchemin. Nous venons perquisitionner. Êtes-vous en possession de cette petite fille de sept ans ?

Grannie a pâli mais elle les fait entrer le plus naturellement du monde.

– Ma petite-fille ? Oui, elle est avec moi, je l'ai prise quelque temps pour qu'elle se rétablisse. Sa santé est fragile voyez-vous…

Mais déjà les policiers sont dans le salon où je suis tranquillement en train de lire un livre, Gribouille sur les genoux.

Les deux policiers s'approchent de moi, l'air un peu étonné de me voir si calme.

– Ça va petite ? Tu es bien traitée ? me demande l'un d'eux.

Bien traitée, moi ? Il y avait bien longtemps que je n'avais été aussi bien traitée !

– Oh oui, monsieur l'agent ! Car pour moi tous les policiers sont des agents de police. L'homme sourit et me regarde attendri.

– Tu sais pourquoi tu es ici ?

Je le regarde droit dans les yeux, tout en arrêtant ma caresse sur la tête de Gribouille qui me fixe étonné :

– Oui, bien sûr que je sais puisque c'est moi qui ai supplié Grannie de m'emmener avec elle !

Là, je lis carrément la surprise dans les yeux du policier. Il s'assied soudain à côté de moi et me prend la main.

– Tu vas tout me raconter, petite.

Grannie a vu le geste.

– Je vous fais un petit café ?

Le policier hésite, il est tenté, je le vois bien, mais il doit rester un policier neutre. La voix devient plus ferme :

– Non, merci. Je n'ai pas le temps.

Pourtant il a le temps de me poser mille questions, auxquelles je réponds sans hésiter. Et je lui raconte tout : Papa, maman, Tata, Charles, toute ma vie jusqu'à aujourd'hui. Sans oublier ni le croquemitaine, ni le grand méchant loup !

Le policier reste très longtemps et, souvent, il me repose les mêmes questions auxquelles je donne les mêmes réponses. L'autre monsieur marche dans le salon, regarde les livres dans la bibliothèque, s'intéresse aux objets...

Puis ils me laissent à la garde du troisième monsieur, le médecin, et vont s'enfermer dans une autre pièce avec Grannie, Tantine et Henri.

Les policiers ont appelé les services sociaux qui sont venus me chercher avec une dame ; c'est l'assistante sociale. Elle essaie d'être très gentille avec moi. Mais moi, je ne veux pas quitter Grannie. Je hurle, je me débats :

– Non, laissez-moi, je veux rester ici, je veux pas qu'on m'emmène ! Grannie, s'il te plaît, les laisse pas faire, je veux pas te quitter, s'il te plaît Grannie, je veux pas retourner dans mon placard !

J'ai le cœur déchiré parce que j'aime désespérément Grannie, je ne veux pas qu'on lui fasse du mal, ni qu'on me retire à elle, et je veux pas repartir d'où je viens !

Grannie s'approche de moi et me caresse la tête. Elle a le visage fatigué et les yeux rouges, je vois bien qu'elle aussi a pleuré malgré le triste sourire qu'elle m'adresse.

– T'inquiète pas Lolo, tu ne retournes pas chez toi, on t'emmène ailleurs. Dans une grande maison. Tu ne partiras pas longtemps, tu sais, ma puce, compte sur moi pour me battre et te récupérer très vite. Ça sera un peu comme des vacances dans un autre endroit. En plus, tu es presque rétablie maintenant, et tu vas avoir une vraie école pour rattraper le temps perdu.

Elle passe sa main dans mes cheveux. Je la sens qui tremble un peu. Soudain j'ai froid, d'un grand froid intérieur. Et je ne comprends plus rien. Pourquoi parle-t-elle de temps perdu ? Avec Grannie, le temps n'était jamais perdu. Au contraire, c'était du temps gagné sur le mal et sur la souffrance, sur la peine et sur la violence, sur la solitude et sur le désespoir. Avec Grannie, c'était la douceur, le miel, l'amour, le paradis.

– Dis petit Jésus, tu ne vas pas m'enlever du paradis maintenant que tu m'y as mise enfin ?

❀

Et pourtant si, on m'a enlevée du paradis ! J'ai été forte, je voulais pas faire encore plus de peine à Grannie qui essayait de cacher tout son chagrin, mais il débordait de ses yeux, malgré elle.

– Je vais partir moi aussi. Mais je te jure, tu reviendras très vite, je te reprendrai et plus rien ne nous séparera jamais !

Je me jette dans ses bras et cache ma tête dans son épaule. On pleure toutes les deux mais la dame me tire doucement par la main. Elle a l'air presque aussi émue que nous.

– Viens, chérie, dit-elle. Viens, tu reverras ta grand-mère. Ne t'inquiète pas.

Et Grannie me repousse gentiment. Alors je me laisse faire. Je me sens toute vide, je n'ai plus d'énergie, qu'un immense désespoir au fond de moi.

27

… Nous sortons tous de l'église, la tête basse, et accompagnons silencieusement le cercueil qu'on va mettre en terre dans le petit cimetière derrière l'église. Les souvenirs s'imposent à moi et m'aveuglent comme des flashs éblouissants. Derrière mes paupières lourdes de sanglots je revois les scènes de notre séparation, je revis la rupture d'avec Grannie.

Grannie a été arrêtée immédiatement, avec Henri et Tantine, et ils ont été conduits à la gendarmerie du pays pour y être auditionnés. Les gendarmes avaient prévenu le procureur de la République qui aussitôt avait saisi le juge d'instruction pour une ouverture d'information ; Grannie a été mise en examen sous contrôle judiciaire.

Munie de ses certificats médicaux, dossiers et témoignages divers, Grannie s'est défendue en contre-attaquant, endossant à elle seule l'entière responsabilité du rapt d'enfant.

Pendant douze heures, elle est restée en garde à vue, assistée de ses médecin, avocat, kiné, qui ont fait de leur mieux pour la défendre, pour me sauver.

❁

Aujourd'hui Henri m'a rendu visite tout seul. Grannie n'a pas encore le droit de venir me voir parce qu'elle est sous contrôle judiciaire.

J'ai demandé ce que ça voulait dire et il me l'a expliqué avec des mots tout simples :

Pendant deux jours elle n'a pas le droit de quitter la gendarmerie où on la questionne sans arrêt ; comme moi je ne quitte pas ce pensionnat, ni tous ces autres enfants qui, eux aussi, sont prisonniers de leur sort et des décisions des grandes personnes.

On les appelle grandes personnes mais sont-elles si grandes ? Elles se battent comme des enfants, et sont égoïstes et méchantes comme souvent ils le sont eux-mêmes.

Le lendemain, l'aide sociale à l'enfance et un juge des enfants viennent m'examiner pour voir si je suis en danger.

... Cette fois le croquemitaine est vraiment venu me chercher. Il m'a conduite ici, dans cette grande bâtisse qui se veut accueillante pour tous les enfants mais qui me donne la chair de poule. Est-ce qu'un ogre va venir nous manger ? Je n'ose plus lever les yeux, je n'ose plus parler. On est une trentaine, mais je me sens très seule.

... J'ai sept ans, l'âge de raison, mais j'ai l'impression d'être beaucoup plus vieille ! Je suis toute petite dans le corps, et déjà si grande dans ma tête. Je sais ce que c'est que souffrir, je connais l'injustice, la méchanceté, la cruauté, mais je n'en parlerai pas aux autres. Ni aux « pédopsy », comme on les appelle ici, et qui viennent nous voir plusieurs fois par semaine, ni aux autres enfants. Ils ont l'air gentils, mais comme moi, souvent, ont le regard perdu. Leurs yeux sont absents. Je ne leur raconterai rien. Mon placard, maintenant, c'est mon cœur. J'y ai enfermé tout mon amour, et mon amour il est pour Grannie, et pour elle seule. Je ne veux pas d'amis, tout juste des camarades avec qui je fais semblant de jouer. Ici je fais semblant de tout. Je n'arrive pas à être pour de vrai.

Pourtant toutes les grandes personnes qui s'occupent de nous – les éducateurs, les assistantes sociales, les médecins – voudraient que ce centre soit comme une grande famille pour nous tous. Mais pour moi c'est une prison. On nous fait l'école et on a des sorties en groupe le mercredi, le samedi et le dimanche. Tout le monde essaie d'être très gentil, même avec les plus durs d'entre nous. Mais nous sommes tous en manque de parents, en manque d'un vrai foyer.

Moi, je ne pense qu'à Grannie. Alors on fait mécaniquement nos devoirs et nos leçons, on est polis et sages parce qu'on n'a plus de force pour résister. Mais on se fiche de tout. On a qu'une idée en tête: retrouver ceux qu'on aime.

Mes camarades préférées s'appellent Aline et Martha. Je ne leur raconte pas ma vie. On joue ensemble, mais je ne partage pas mes secrets. Ils me font trop mal.

Les jours sont redevenus gris. Il pleut dans mon cœur et le soir, dans le petit lit du dortoir, j'ai toujours Tommy dans mes bras, que j'ai pu emmener avec moi, pour lui parler à l'oreille.

Tommy pèse entre mes bras. Il est lourd de toutes mes confidences. Parfois la nuit je me réveille en hurlant, la chemise de nuit trempée de sueur, et la surveillante accourt, pieds nus dans ses chaussons.

– Chut, chut petite, tout va bien, rendors-toi, tu vas réveiller tout le monde.

Mais déjà d'autres filles se sont assises dans leur lit avec des regards de reproche.

Alors je me glisse très loin, sous mes couvertures, pour me cacher. J'ai honte !

Grannie, j'y pense, je la réclame sans arrêt. Et aujourd'hui enfin – je suis là depuis quand ? Je ne sais plus, tout est brouillé dans ma tête – Grannie est venue, accompagnée d'une assistante sociale. Elle a le droit de me visiter de temps en temps mais jamais seule, pour le moment. Je cours, je me jette dans ses bras, mon cœur bat très vite, j'étouffe de joie. J'ai tellement eu peur de la perdre !

Je marche derrière le corbillard. Les souvenirs défilent au rythme de mes pas...

Les jours passent. Je suis toujours bien traitée dans mon institution. Les policiers sont venus plusieurs fois me reposer des questions, encore des questions, toujours les mêmes.

Je ne savais pas que les entretiens étaient filmés. Alors j'ai raconté, raconté, et parfois même plus que je ne voulais au départ : Maman qui me punit et m'aime pas ; papa qui fuit devant maman et s'occupe pas de moi, Tata qui me bat. Et soudain, sans savoir pourquoi, c'est comme un robinet qui s'ouvre, comme le trop-plein de la baignoire qui se vide. J'ai besoin de parler, de faire sortir toutes mes peurs, mes souvenirs, tout ce qui me hante. Je n'arrive plus à me taire. Et je raconte, je raconte…

❁

Ma vie n'est encore une fois plus qu'une attente. Les jours, les nuits ne sont que des paliers mouvants entre deux visites de Grannie. Le juge d'instruction a reçu mes parents et ouvert une enquête sociale, à l'issue de quoi il a demandé une mise en accusation. Et là, ça a été terrible.

À l'audition chacun a accusé l'autre. Georges a commencé en disant que Rose l'avait piégé en tombant enceinte de moi alors qu'il voulait la quitter. Mais qu'il m'aimait malgré tout et que sa femme faisait ce qu'elle pouvait pour le priver de sa fille en lui interdisant pratiquement l'accès au placard où elle m'avait reléguée sans son avis.

Rose a protesté, en expliquant qu'elle avait la charge de tout dans cette maison, qu'elle ne m'avait mise à l'écart que pour mon bien, pour que je ne me fatigue pas et que, de toutes façons, elle avait eu raison parce qu'elle avait surpris son mari à me tripoter ; vous vous rendez compte, monsieur le juge ?

Papa s'est défendu férocement en expliquant qu'elle ne comprenait rien à la tendresse puisqu'elle en était incapable, mais le juge a mis papa en garde à vue et en détention une quinzaine de jours pour attouchements, il voulait vérifier la dernière accusation de maman avant que n'ait lieu le procès.

Maman a fait une grosse déprime. Elle pleurait sans arrêt parce qu'elle aussi avait été mise en examen. Mais elle a attendu que papa soit libéré, pour faire ce qu'elle avait décidé. Elle voulait sans doute lui faire peur une fois encore car, le jour de la libération de papa, elle a envoyé Tata et Charles se promener pour tout l'après-midi en expliquant qu'elle sortait, elle aussi, et ne rentrerait pas avant vingt heures.

❀

28

...Une dame est venue me chercher au foyer. Elle est habillée tout en noir. Elle aussi elle m'a pris la main, comme le policier avant, et avec un air tout triste m'a dit :

– Ma petite, il s'est passé un grand malheur...

Là, j'ai tout de suite pensé à Grannie et mon cœur et mon ventre se sont serrés très fort.

– Grannie est morte ?

– Non, petite ! Ta maman a eu un accident, et elle est partie.

J'ai aussitôt pensé : Ah, c'est maman ! et j'étais soulagée.

– Partie où ? j'ai alors demandé.

– Partie au ciel. Elle est morte, chérie, je suis désolée.

Je ne voyais pas pourquoi elle était désolée puisqu'elle ne la connaissait pas. Et puis, sur le moment, ça ne m'a pas fait grand-chose.

Maman morte, au ciel, me ferait moins de mal que vivante. Pourtant, malgré tout ce qu'elle m'avait fait, je l'aimais bien. Mais sur le moment, je n'arrivais pas à avoir de la peine.

– Alors, je vais repartir chez Grannie ? C'était la seule chose qui m'importait, maintenant que maman n'était plus là pour s'y opposer.

La dame a pris un visage encore plus triste, un peu choqué. Elle ne comprenait pas pourquoi je ne pleurais pas, et elle a conclu :

– On verra, on verra…

Et puis elle s'est levée, elle m'a embrassée et elle est partie.

Et c'est là que, tout d'un coup, j'ai compris. Les mots se sont infiltrés jusqu'à mon cœur.

Maman est morte. Je ne la reverrai plus jamais. Je ne pourrai plus jamais essayer qu'elle m'aime. Elle est morte sans me dire au revoir, sans m'avoir jamais prise dans ses bras depuis si longtemps, sans m'avoir embrassée !

Mais alors pourquoi je ressens un tel vide ?

❀

29

Nous arrivons au cimetière. Le cercueil n'a pas l'air très lourd. C'est le même que celui de ma mère lorsque je l'avais suivie après la messe. On le glisse dans le caveau familial.

Depuis j'ai appris ce qui s'était passé : Une fois Tata et Charles partis, Rose s'est enfermée dans la salle de bains. Elle a avalé un tube de barbituriques et du whisky, puis s'est allongée toute habillée dans la baignoire après s'être ouvert les veines avec une lame de rasoir... et s'être maquillée avant !

Ça, c'était bien ma mère ! La mise en scène jusqu'au bout. Elle a juste laissé un mot scotché sur le miroir :

– Vous aurez ma mort sur la conscience !

Papa est rentré à la maison ce jour-là, après quinze jours de détention. Il avait attendu maman à sa sortie de prison mais il n'y avait personne. Alors il a erré dans les rues tout l'après-midi, très déstabilisé, ne sachant quoi faire.

Il ne s'est enfin décidé à revenir chez lui que tard le soir. Tata était rentrée avec Charles depuis longtemps et croyait « Madame toujours dehors ». Papa l'a cherchée dans toutes les pièces et a trouvé la porte de la salle de bains fermée à clef. Alors il l'a défoncée. Mais c'était trop tard. Maman était morte depuis longtemps. On n'a rien pu faire pour la sauver.

Quand papa est venu me voir dans mon institution, il avait de grands cernes bleus sous les yeux et une barbe de trois jours que je ne lui avais jamais vue.

Georges a été détruit. Sa vie a basculé ce jour-là. Il n'était plus qu'une poupée de chiffon.

Il est venu me chercher pour l'enterrement. Il m'a serrée très fort contre lui et je ne me suis pas sentie à l'aise du tout. J'ai pensé qu'il était responsable de la mort de maman.

Je suis restée très raide. Alors il m'a regardée longuement et il a pleuré. J'avais jamais vu papa pleurer, mais ça ne m'a rien fait. J'étais indifférente à tout. À maman, à papa.

Je suis allée à l'enterrement et c'est passé très vite. On m'a ramenée à mon institution en me disant que le procès aurait lieu très bientôt parce que maintenant que maman était partie, papa était d'accord pour me laisser à Grannie.

Mon cœur a étouffé de joie. J'ai commencé à espérer de nouveau, et à compter les jours, les heures, les minutes.

❁

Papa a tout abandonné. La bagarre, la demande de sa fille, tout...

– Rendez Lolo à sa grand-mère. Je me suis totalement trompé. C'est elle, et elle seule, qui saura s'occuper de ma fille et la rendre heureuse. Je retire la plainte.

Ce qu'il n'avait pas su faire pour Rose, son bonheur, il voulait le faire pour moi maintenant.

❁

... Six mois après, le procès a eu lieu, ou plutôt les procès : celui de Grannie et celui de papa et Tata. Je n'y suis pas allée mais un « administrateur ad hoc », comme on m'a expliqué, est venu représenter mes intérêts. Il a montré la vidéo de mes conversations avec les policiers, les certificats des médecins, kiné etc. On m'a raconté le reste : Dans un box il y avait papa et Tata, côte à côte. Dans un autre, Grannie. Papa s'est laissé accuser sans se défendre, la tête basse, le dos rond. Il reconnaissait tout, il était coupable de tout et voulait qu'on me rende à sa mère. La disparition de maman l'avait brisé. Il avait d'un coup perdu sa raison de vivre, de hurler, de frapper. Il n'avait plus rien. Les juges l'ont condamné à un retrait partiel de son autorité parentale pour non-assistance à personne en danger et à deux ans de prison avec sursis, dont trois mois ferme.

Tata est venue aussi à la barre. Les yeux durs, le visage fermé, les lèvres sèches, elle a répondu en aboyant des mots qui cognaient comme des cailloux, qu'elle – faisait qu'obéir aux ordres de Madame, mais que sans elle Grannie aurait pas pu m'emmener vu qu'elle l'avait déjà laissée faire plusieurs fois auparavant et que c'était à mettre sur son compte, tiens, si c'est ça qu'avait sauvé la vie de la petite ! Et elle a ajouté :

– Y a qu'à la rendre à sa grand-mère. Elle sera mieux là-bas.

Papa a confirmé.

Tata n'a eu qu'un an dont un mois ferme et interdiction à vie de s'occuper d'enfants, où que ce soit.

Grannie, elle, s'est défendue de son mieux :

– Mon seul but était de sauver cette enfant qui aurait fini par mourir toute seule dans son placard, victime des mauvais traitements, d'une sous-alimentation et d'un abandon quasi complet. Croyez-moi, monsieur le juge, je l'aime plus que tout au monde et c'est la seule chose qui ait motivé mon geste.

Et pour finir Henri a été accusé de complicité d'enlèvement.

Tous les gens qui s'étaient occupés de moi sont venus au procès. Il s'est déroulé calmement mais moi je n'y étais pas et, tout de suite après, c'est Grannie, libre, qui est enfin revenue me chercher avec Charles qu'elle tenait par la main. Le juge l'avait décidé comme ça, pour qu'on ne soit plus séparés tous les deux.

François, le lapin, m'a encore sauté à la figure pour me dire :

– On va tous vivre avec Grannie, et papa viendra nous voir. Et tu sais pas quoi, Lolo ? Y a plein de bonbons et de chocolats chez elle !

C'était vraiment le bonheur !

❀

30

La vie a repris son cours. Une fois sorti de prison papa a pu venir nous voir. Et il est revenu, régulièrement. Il s'est remarié deux ans après. Charles et moi sommes restés chez Grannie, puis Charles est parti en pension à l'âge de onze ans. Grannie pensait qu'il devait grandir dans un univers plus masculin.

Nous sommes restés proches l'un de l'autre dans notre cœur, car il est retourné, plus tard, vers quinze ans, vivre avec papa. Il avait besoin de son père.

C'est Grannie seule qui m'a aidée à grandir, à découvrir les choses belles de la vie, des petits bonheurs tout simples que je n'avais pas vraiment goûtés jusqu'alors.

Et l'odeur de son café au petit déjeuner, la musique de sa voix, la chaleur de ses bras m'ont enfin donné la confiance qui me manquait.

C'est Grannie qui a fait de moi une femme, et c'est à elle que je dois ce que je suis aujourd'hui.

❀

31

… Tout le monde est parti. Je n'ai pas voulu être raccompagnée. J'ai voulu rester un moment, tranquille, à garder pour moi seule la mémoire de Grannie.

Je m'assieds sur le bord du caveau de famille dont la pierre froide me glace un peu. Je caresse machinalement cette surface rêche comme je caressais les joues douces de Grannie quand je suis revenue vivre avec elle définitivement après le procès. Et je ferme les yeux et je la revois, le visage ivre de bonheur, où peut se lire tout l'amour qu'elle me porte.

Je lui prends la figure entre mes petites mains et la caresse longuement comme pour vérifier que c'est elle, oui c'est bien elle, ma Grannie, la même peau douce, la même chaleur, le même sourire qui me dit alors :

– Enfin, je te retrouve et pour toujours cette fois ! Je t'aime, tu sais !

❁

Imprimé en France par

à Saint-Amand-Montrond (Cher)
en juin 2012

POCKET – 12, avenue d'Italie – 75627 Paris Cedex 13

N° d'impression : 122169
Dépôt légal : mai 2009
Suite du premier tirage : juin 2012
S18139/04